才能のあるヤツはなぜ27歳で死んでしまうのか？
ジーン・シモンズ
訳 森田義信
JN053008
星海社
180
SEIKAISHA SHINSHO

「人生っておかしなもんだよな。
誰もトシなんかとりたかないのに、
若死にもしたくないんだからさ[*1]」

――キース・リチャーズ

目　次

本書を、心の病、依存症、またはその両方の影響を受けながら生きているすべての人々に捧げる。とくに、苦しみながら、それでもギターを手にしたり、キーボードの前に座ったり、マイクをつかんだりすることを夢見ている若きミュージシャンたちへ。進みつづけろ。

INTRODUCTION

イントロダクション

「そういった記憶を何度も何度も思いかえすのは（ついついやってしまうのだが）、精神的につらいことでもある。最も鮮明に覚えている細部というものは、何十年たってもショッキングだ。しかし歴史というものには、もっと広がりのある道筋、あり得たかもしれない道筋があるのではないか。想像してほしい。もしこういったレジェンドたちが生きていたら、どんなものを作りだしたのだろう。そして、彼らがいなくなったことで、その後の音楽や大衆文化はどんなふうに変わっていったのだろう」[*2]

二〇一八年現在。レジェンドたちは秋の枯れ葉のようにこの世から去りつつある。私の生きた時代の終わり。私の時代を触発した時代の終わり。そんな時が近づいているわけだ。マッカートニーやストーンズは今でも勢いよく前進しているが、ポップ・カルチャーの創造的黄金時代が衰退しつつあることは否定しようもない。ひとつのジャンルの偶像（アイコン）たちがついにひとりもいなくなってしまう時間が、きっとやってくる。最近二年間だけでも、多くの人がいなくなった。デヴィッド・ボウイ、プリンス、トム・ペティ、グレン・フライ、親愛なる我が友ヒュー・ヘフナー、ハリー・ディーン・スタントン、クリス・コーネール……。リストはさらに続く。どんなにがんばっても、大切な誰かを入れ忘れてしまうのは避けられない。

そんな人たちがいなくなると私たちは彼らを聖人にしてしまいがちだし、少なくともロマンティックにとらえてしまう。死はみんなを内省的で懐古的な気分にする。そうして私たちは、ヒーローの歴史を書きかえないまでも、勝手に磨きあげる。ヒーローを祀（まつ）りあげ、引きずりおろし、その死に関して自分の納得のいくような物語を作りあげる。そうすることが正当な場合だってあるだろう。だが感情が先走って視界が歪んでしまうこともあるはずだ。

今、どうしてこんなに何人も？　どうして突然、立て続けに？　一息ついてゆっくり悲しもうとしても、すぐに次の誰かがいなくなってしまう。パターンを見つけようとするのは、人間として自然な行為だ。私たちはパターンを探す動物であり、生の秩序を脅かすものとは当然、折り合いをつけようとする。

思うに、これほど多くの不幸が重なるのは（原因がひとつだけだったとすればだが）、魔法のような一時代があったからだろう。ポップ・カルチャーの「レジェンド」と大書したくなるような人々が次から次へと生まれた時代。そんなユニークな時代に生まれた特別な存在――時を越えた存在が、同時に人生の黄昏時を迎えようとしているのは、あたりまえのことだ。世代の輪は回り、文化のムーヴメントをまるごと連れ去る。とんでもない影響力を持ったひとつの世代、ひとつの時のかたまりが過去のものになる。だから私たちは愛するレジェンドがいちどきに死んでいくことに気づかされる。そう考えていいのではないだろうか。狭い意味で言えば私は、六〇年代初期から七〇年代末がそんな魔法の時代にあたると思っているが、どんなルールもそうであるように、砂で描いたあやふやな境界線など越えてしまう例外も存在する。たとえば、エルヴィスがそうだ。

セレブが亡くなると私たちはその死に妄執するわけだが、それを越えるものがあるとすれば、若きセレブが亡くなったときの妄執だろう。文化的な著名人が人生の黄昏時を迎えて亡くなった場合なら、悲しくはあってもなんとかその死を受けとめることはできる。彼らのキャリアに対する私たちの思いは、適度に穏やか――大騒ぎしたり、憶測をめぐらせたりはしない。ところが、死んでしまったのが絶頂期にあって期待を一身に集めている人間だった場合、私たちは大きな妄執にとらわれてしまう。それどころかその死を美化し、心を躍らせたり、神話のように崇めたりする。陰謀説を唱える。驚き、混乱し、心を奪われる。分析し、論評し、何度も何度もリプレイする。もしかするとそれは単に、意味のわからないことに意味を見つけようとする私たちなりのやりかたなのかもしれない。

一九六九年を過ぎると、メジャーなミュージシャンが何人も立て続けに世を去った。ブライアン・ジョーンズ（ローリング・ストーンズを作った男）、ジャニス・ジョプリン、ジミ・ヘンドリックス、ドアーズのジム・モリソン。おそらく当時最もビッグだったロック・スターばかりだ。全員、享年二十七。それもたった二年のあいだに。

はたして偶然なのか。彼らが選んだライフスタイルの論理的帰結なのか。ドラッグや心の病のせいなのか。絶えず大衆の視線にさらされているプレッシャーだったのか。それともすべての要素が混じりあっていたのか。いずれにせよ、人々はそこにパターンを見いだしはじめた。大衆の想像力のなかで、単なる相関関係が因果関係へと転じていった。都市伝説が生まれ、文化的な固定観念になり、そうして「27クラブ」が誕生した。

この考えかたは広く受けいれられ、やはり二十七歳で死んだ六〇年代以前の人々、たとえばロバート・ジョンソン（大きな影響力、というか、おそらく史上最大の影響力を誇ったブルースマン）や、カート・コベイン、エイミー・ワインハウスといった八〇年代以降の人々も含められるようになった。「27クラブ」がどうして「クラブ」と呼ばれるようになったのか、ほんとうの由来はわからない。誰が最初にそう呼びはじめたかについても諸説ある。

多くの人々がここでひとつの疑問に悩まされるはずだ。どうして二十七歳という特定の年齢なのか。この数字の何がそんなにユニークで、かつ不吉なのか。どうしてこんなに何人も、それも最も有名で、最も崇められた人ばかり？　有名なミュージシャンや文化的存在は、ほかのどんな年齢より、二十七歳で多く亡くなっている——そんな考えが形作られ、広められ、さまざまな憶測が生まれていった。

さて、二十七歳で亡くなるミュージシャンの数がほかの年齢より「統計上突出」しているということの説、真実ではない——実際、ほとんど同数の有名なミュージシャンが、二十五歳、三十二歳という年齢で亡くなっているからだ。『ブリティッシュ・メディカル・ジャーナル』という専門誌の研究は次のように結論づけている。[*3]「我々は、死亡リスクのあるミュージシャン五百二十二人のなかで、三人が二十七歳で亡くなっていることを確認した。百人あたりの割合にすると0・57％。二十五歳でも（0・56％）、三十二歳でも（0・54％）、死亡率は近似していた。二十七歳における死亡リスクは、ピークとは言えない」[*4]

しかし、厳然とした科学（ハード・サイエンス）が群衆やメディアを思いとどまらせたことなどあっただろうか。文化的な妄執が生まれ、都市伝説が広まっていき、その流れは九〇年代にまで浸透した。多くの憶測や都市伝説がそうであるように、名声と若さという組み合わせは破壊的だ、というこの考えかたにも一理はある。27という数字自体に特別な意味はないのだろうが、若さと名声という観点から眺めた場合、統計はちがってくる。同じ論文はこうも述べている。「著名な音楽家の二十代、三十代での死亡率は、イギリスの一般的な同年代の二倍から三倍に達している」[★5]

ならば27クラブというのは、こういった傾向の象徴としてとらえることができるのではないだろうか。27という年齢が、そのピークではないとしても。

この手のトピックで本を書こうとするとき大切なのは、繊細でありながら、事実から眼をそむけない勇敢さを持っておくことだろう。言うまでもないが、私は繊細さを売りものにしてきた男ではない。でも、やってみよう。ファンは当然のごとくヒーローを神格化するけれど、そういった人たちだって我々と同じ血や肉でできた人間だ。また、遺族や友人たちは愛する人の死をロマンティックなものだとは考えていないことが多い――むしろ、消えない憶測やタブロイド紙の注目、ファンが毎日のように投下してくる陰謀論を嫌悪している。

これは私の見かただが、27クラブというコンセプトは、若くして死ぬこと――成功のてっぺんでドラッグと不摂生にまみれて死ぬことがカッコいい、などと讃えるものであってはならない。27クラブはそういう文脈で語られることが多いが、私はこれまでずっとそんな考えを声を大にして否定してきた。ドラッグをやり、不摂生を続けている人だって、必ずしもそんな過大評価には同意しないだろう。カート・コベインもさすがに、インタビューでこう語っている。「ドラッグをやることに関して、わざわざ自分からあれこれ言ったことはない。（中略）ドラッグがカッコいいなんて言うやつは、最悪のクソッタレだよ。地獄があったらきっと落ちるね」[*6] 私もほぼ同意見だ。27クラブの家族や友人にとっても、薬物使用と精神疾患の死神コンビに鼻面（はなづら）を引きずりまわされて同様の運命をたどった世界中の人々や、その家族や友人にとっても、自分の命を失ったり愛する人を失ったりすることには、カッコよさもヒーロー性もない。

　だが、若かったころ（今より少し若かっただけだが）の私が気づかなかったことがある。本人の選択を責めるだけではいけない、ということだ。ご存じのとおり、私はこれまで公然と、容赦なく、そういう選択を責めつづけてきた。しかし、私のようにドラッグをやったことのない人間が、そういった人々の経験をほんとうに理解することなどできはしない。ドラッグに依存してしまった人が置かれた状況。私はそんな状況を経験したことがない。大衆の目にさらされながら生きるクレイジーさを（有名であれ無名であれ）、経験のない人に説明するのが難しいのと同じことだ。不満があるわけじゃない——私は毎日、ドリーム・ライフを生きている。だが勘違いしないでいただきたい。名声や悪名というのは、おかしなものだ。努力と創造性と運で名声を得ても、人は、迷ったり苦しんだりする。人間性が変わってしまう。いろんな意味でモノが見えなくなり、まわりの世界に対する感覚が予期せぬ形で歪んでしまう。私にも、見えなくなった覚えがある。自分の名前を叫んでいる何千もの人々の前に立つと、ちょっとアラビアのロレンスのような気分になり、俺はレジェンドなんだ、無敵なんだと信じこんでしまうものだ。

思うに、27クラブというフレーズに問題があるのではないか（公の場で調子っぱずれなことばかり言ってきた人間の意見ではあるが）。人はこの「クラブ」のことを、プライベートで、閉鎖的で、メンバーズ・オンリーな、あたかも高級クリエイティブ・クラブ「ソーホー・ハウス」のような調子で口にする。雑誌や新聞の記事もそうだし、業界の人間もそうだ（ちなみに、おもしろいことにソーホー・ハウスの会費は、年齢が二十七歳になったとたん、ハネあがる。まるで、二十七歳がクリエイティヴ階級の成人年齢であるみたいじゃないか。何かを意図的にほのめかしているのかどうかはわからないが、出来すぎだ）。

見過ごされやすいのは、私たちが現実に起きた死を語っているということだろう。「クラブ」というのは広く受けいれられたコトバであり価値体系だ。そんな価値体系をあまりにしつこく若者に背負わせてきたせいで、私たちはその存在にさえ気づかなくなっている。だが、単純に言ってしまおう。死は「クラブ」などであってはならない。なのにネットで検索してみると、そういった人々はひとくくりにされているように思える。ファンの運営するサイトでは、ライセンスもされないまま、彼らが神々のように並んでTシャツなどの商品にされている。お決まりの姿の死神とともに「フォーエバー27」といった文言で飾られていることもある。この手の商品はなぜだか、道義的責任を問われていない。だが彼らがもし「ロック・スター」という称号を持たないまま死んだとしたら、非難囂々だったのではないだろうか。[*7]「27クラブ」について学ぶべきことがあるとしたら、それは、人がどうしてそんな行為に走るのかということだ。他人の頭のなかには入りこめない。だが、可能なかぎり努力して近づこうとすることはできる。どんな種類の人づきあいだって、大切なのはそこだろう。私はそう信じている。だが前にも言ったように、人づきあいは私の得意技ではない。だから本書は、私なりの試みだ。

　もちろん、心の病を放っておくと危険な穴ぼこに落ちるかもしれないぞ、という教訓話になるかもしれないし、危険行為を讃える業界や文化がこういった問題を拡大解釈し、あおっていることを指弾する話になるかもしれない。また、ポップ・カルチャーは人に（まだ分別もつかない年齢で）自分は不滅なんだと信じこませ、同時かつ逆説的に、トシをとるより死んだほうがマシなんだと思いこませる、という話になるかもしれない。「老いぼれるくらいなら死にたいぜ」とザ・フーは歌う。「トシをとるなんてまっぴらだ」とストーンズは歌う。そういった感情は長いこと私たちのなかにあったし、残念なことに、今でもポップ・カルチャー神話の大きな一部だ。「フォーエバー27」というのはつまるところ、地上最大のファッション・ブランドなのだろう。

私たちは愛するものを萎（しお）れる前に捨てたがる。それがアメリカのポップ・カルチャーの心理学だ。まだ二十歳を越えたばかりのブランド・ニュー・スターのレコードや映画を手に入れ、次の金でタブロイド紙を買い、彼らの中毒症状や離婚や肥満や鬱状態や自殺の記事を読みあさる。おだてあげろ、そして、叩き落とせ。

しかしそれがすべてではない。27クラブを考えることは、ひとりひとりの経験というものがどれほどユニークでどれほど計り知れないかを受けいれることでもある——自然と環境がどうやってダブルの鞭で、想像もしなかった未来へと私たちを追いたてていくか、考えること。他人の痛みを理解し、どうしてその人が説明のつかないことをするような状況へと追いやられたのかを理解すること。それは、青という色が他人の目にどう見えているのかを理解しようとすることに近い……私の見ている青と、きみの見ている青。それが同じ色だとどうやってわかるというのだろう。もし、きみが青と呼ぶ色が私にはまったく認識できなかったとしたら？　きみの言う青がどんな色なのか、私にはまったくわからないなら、どうやっておたがいを理解できるのだろう。この考えかたはすべてにあてはまる。人は生きていくうえでいろんな選択をおこなう。だが、そこに至るきっかけや過程、神経化学的反応、環境を、はたして他人が知ることはできるのか。身近なものとして、ほんとうに理解することは可能なのか。誰かとおしゃべりをしている最中にこんなことを思う人はいないだろう。私たちはたいていの場合、他人のことをそんなふうには考えない。どんなレベルであれ、リアルタイムで人とかかわりを持つことは、感情的な行為だ。湖の淵へ飛びこもうとしている人間がいたら、危なすぎるからやめておけと、とめてやるのが普通だろう。だが逆に、飛びこもうとしている本人にしてみれば、うしろの「マジメ人間」があれこれ言ってくるせいで人生を存分に楽しめないとイラだつかもしれない。人はそれまでの人生経験や自分というプリズムのせいで、同じ出来事に対して正反対の見かたをすることがある。その瞬間、いやどんな瞬間でも、他人の思いと接点を見つけるなんて、不可能なのかもしれない。

真の理解は、もしかすると私たちの手の届かないところにある。事実、私の場合はそうだった。ごく親しい人だろうが、こっぴどく批判してきた相手だろうが、結局私には理解できないのだろう。たとえばバンドメンバー。そして子供たち――誰よりまず彼らが、私とうまく理解しあえていないことを認めるはずだ。人格もちがえば、世代差だってある。

しかしながら、それこそがこの本のテーマであるべきだ。いったい何が、私と同じ、この「トップ」というポジションについた人間に暗い道のりをたどらせるのか。それを理解するための試み（少なくとも私にとっては初の試み）だ。とくに薬物濫用に関しては、人生ではじめて、以前のように批判的な見かたを控えてみたい（おおまかに言って、だが）。そして、そういった人々の頭のなかへ分け入ってみたい。多くの共通点を持ちながら、私たちはどうしてこんなにもちがう場所に至ってしまったのか。

私は「セレブリティ」というこのビジネスでデカくなった。若い人たちが奇妙なパターンで犠牲になるのを見てきた。全員がそうなるわけではないし、ほとんどの場合、問題はない。だが山のてっぺんにたどりつくと、崖っぷちまで行って虚空を覗いてみたくなる人はいるらしい。うっかり落ちてしまう場合もあるし、群衆に押される場合もある。自分で飛びおりる場合もある。ほかの決まり文句と同じように、「頂上は孤独（ロンリー・アット・ザ・トップ）」というのもホンモノの人生経験から生まれたコトバだ。たぶん、全人口のほんの一握りの人間しか経験できない状況だろう。だがたとえ成功の頂点に登りつめ、心から愛してくれる友人やファンに囲まれていても、実にさまざまな理由で、ほかの人が感じないような孤独を感じる人間は存在する。まわりに人がいてもいだいてしまう、逆説的な孤立感。私にはそんな経験はない。しかし、同じような立場にいる多くの人間がそういう経験をしている。

私にとっては、それこそが27クラブだ。あまりに多くの若者、それも、たっぷり才能に恵まれた若者の奇妙な衝動から立ち現れる、ひとつのパターン。彼らは自分自身の性格や経験のせいで、そんな衝動を感じざるを得ない。私だって、暗黒の魅惑を感じた覚えがないわけではない。しかしいつもただの傍観者だった。そして、なかにはあまり近しくない人もいたけれど、どうして彼らがそんなにも遠く、速く、彼方へと去ってしまうのか、知りたいと思ってきた。どうしてある種の人々がそんなふうに感じてしまうのか、知りたいと思ってきた。同時代人には、どれほど注目を浴びようと平気の平左、厚い面の皮でうるさい批評家を無視できたやつだっていたし、自己破壊的な行動をとりながら運よく生きのびたやつもいた。そして私のように、危険なライフスタイルに足を踏み入れようとしないやつもいた。

自己破壊にロマンを見いだすのは履き違えだが、それに関連した別の問題もある。いろんな定義があるはずの「反逆」という言葉に、同じ解釈をあたえたという問題だ。私が若かったころ、反逆者というのは、ド派手な服を身にまとったり行きずりのセックスをしたりという、伝統に反したライフスタイルを選択する人間だった。言いかえれば、上の世代のどんなやつに「従え」と命じられても、納得できないルールには縛られない、ということだ。すべての行動原則は「自由」だった。自分の望む人生を追いもとめる自由。ところが私が思うに、反逆は自虐へとつながっていき、自由でいるだけでは物足りなくなってしまった。自由でいることも含めてすべてを失うかもしれないという、そんなギリギリのところでバランスをとっていなければ、もはや自由を感じられなくなってしまったわけだ。「セックス・ドラッグ・アンド・ロックンロール」という残念な決まり文句があまりにロマンティックにとらえられてきたせいで、私たちは、よく考えもせずそれを受けいれるようになった。この御託宣の「ドラッグ」という部分は実際、世界中で何百、何千という若者の命を奪ってきたはずだ。今でもそれは続いている――形を変え、音楽のジャンルを変えて。

酒も飲まなければ、ドラッグもやらない。私ははっきりそう公言してきた。個人的にはさして難しい選択でもなかった。リスクについては知っていたし、考えればすぐわかることだったからだ。しかし多くの人たちにとってこの選択は、私が思うほど簡単ではないらしい。何も考えなかったやつもいるかもしれない。文化の流れに乗っかっただけのやつもいるだろう――若者だったら誰だって、文化の流れに影響され、突き動かされるものだ。このトピックに関して私は、ほとんどの場合歯に衣着せぬ発言をしてきたし、発言したときには舌鋒鋭すぎてトラブルを招いたこともあった。

もちろん言っておかなければならないのは、オトナとしての私がほとんどずっと、重い抑鬱障害やそれに関連した状態とはまったく無縁だったということだ。そういう状態が実在するとも思わなかったし、実際どんなものだか理解できるとも思わなかった。私にしてみれば「金持ちの問題」。この世代が子供たちの世代のために作りあげたラクチンな生活の弊害だ。しかし私はいろんなことを学び、考えを変えた。今でも納得しがたい部分があることは認めよう。だがいろんな出会いがあり、精神疾患の問題にかかわっている人たちとも親しくなった。私はときどき石頭ぶりを発揮してしまうが、それでも、オープンな人間でいることには誇りを持ってきた。新しい証拠が示されれば、考えかたを改めるのはいとわない。

多くの知り合いは、私の宗旨替えに驚くかもしれない。このプロジェクトの推進力となったのは、我が息子ニックとのあいだで何度もかわされた、長く多岐にわたる会話だった。ニックは本書の執筆・編集を手伝ってくれたが、彼とのあいだには意見の相違が無数に存在する。私たちは話をし、議論を戦わせる。着地点が見つからないこともある。人生経験だけでなく、ものの考えかたが根本で異なっているからだ。それでもおたがいから学んでいる。本書は当初、もっと批判的な論調になる予定だったのだが、ニックには本に出てくる数人の人たちとかかわりを持った経験があった。ドアーズのロビー・クリーガーとプレイしたこともあったし、本書の周辺取材もやってくれた。私は息子と話をしたあと、この本のゴールが他人を誹謗したり自分の考えを押しつけたりすることであってはならないと思うようになった。大事なのは、ただ、理解することだ――私の愛する作品を残した偶像（アイコン）たちの人生の深いところまで、ミュージシャン仲間として、同じ著名人として、ファンとして、飛びこんでいくこと。

自分の認識不足にはじめて気づかされたのは、ニックと会話をしているときだった。息子が苦しんでいることが不思議でならなかった。私に言わせれば、息子は他人がほしがるようなものをすべて手にしている人間だ。恵まれた幸せな生活を送っているし、こちらとしても、息子にいいスタート地点をあたえたつもりだった。ニックは努力している。自分が幸運であることもよくわかっている。人生のどんなささいなことであれ、恵まれた部分があればコトバにして感謝するし、自分で運をつかもうともする。なのに私が見ているかぎり、息子はとても悩んでいた。彼がうろたえて電話をかけてくると、私は何度も、おまえはすばらしいものをいくつも持ってるんだぞ、と言って諭した。最高の家族、健康な体、快適な人生――悲しくなる理由なんて、どこにもないじゃないか。そんなの全部わかってるし、感謝もしてるよ、と息子は言った。どうしてなんだと尋ねると、彼は、理由なんてない、と答えた。ただ症状みたいなものが出るだけ。「そういうもんが頭のなかに出てくるんだよ。胃痛で胃が痛くなるのと同じでね」と彼は言った。「この生活に不満があるわけじゃない。でもときどき、頭がそう思っちゃうわけさ」

　そういう気持ちがリアルだと信じるためには、愛する人間に説明してもらう必要があったのかもしれない。私はそのときはじめて、臨床的鬱状態という奇妙なものに出会い、それが実在することを認識した。息子にしても、気づいてもらいたかったのだろう。彼はこう言った。「父さんにしてほしいのはさ、それがぼくを助けるたったひとつのやりかたなんだけど、信じてくれることなんだ……作り話をしてるんじゃない、って信じてくれることなんだよ」

　私は言った。「わかった。信じるよ。見たことはあるからね」ほんとうだった。赤の他人なら公の場で何人も切り捨ててきたこの私だが、家族を切り捨てることなどできるわけがない。おかげで、これまでを見つめなおし、あまりに短絡的に問題をかたづけてきたのではないかと考えることもできた。「鬱」と呼ばれるものがどんなものなのか、私にはわからなかった。単に感情の問題なのだろうと思っていた。感情の問題であれば、つまるところそれは、その人の人間性の問題だ。そういう意味で言えば、私には、しっかりした理解などできはしないのだろう。しかし、それこそがポイントだ——理解する必要はない。理解すべきことがあるとすれば、ただひとつ。ほかのみんなが行き着くところへ行き着くのと同じように、彼らもまた、制御できない力の渦巻きにもみくちゃにされ、多くの場合遺伝子に操られながら、そういう場所へ行き着いてしまっただけだということ。そして大切なのは、彼らが痛みを伝えようとしているとき、その言葉を信じるすべを学ぶこと。

我が息子がそういったひとりだと気づかされて以来、私は、鬱やそれに関連した問題について公の場で述べてきたことを後悔するようになった。手厳しい言葉を使ったのは、人間が「そういう」意味で病気になるなんて「信じる」ことができなかったからだ。そんなもの、意志力の問題だと思ってきた。人間的な欠点なんじゃないかとも思った。同年代の多くが、いまだに同じような考えかたをしているはずだ。小さな真実をもうひとつ。もちろん、ツラを洗って出なおさなければならないやつらはいる。しかし、その手のこととは無縁な健康人にまじって、コントロールしようのない医学的・心理的症状に苦しんでいる人たちも存在する。近しい人間が影響を受けていなければ、私も考えを改めることはなかっただろう。それは、私という人間の欠点だ。

この本が、私には是認できない選択をしてきた人々に対する仲直りのしるし、オリーブの枝になってくれればいいと考えている。オリーブの枝の意味とは、納得できない行動を容認はせず、そのうえでおたがい理解しあうということだ。私たちを尊敬している人々（とくに若者や子供たち）を導くすべはある。彼らの手助けをして、それぞれのやりかたで私たちより長く幸せに生きられるのだと気づかせることはできる。

だから、ドラッグを否定してきたことに関して謝罪はしない。ただ、私がどんな考えでドラッグを濫用する人間を批判するのかは、文章にして説明しておきたい。次のとおりだ。

今現在の私の考えかたは、もしきみが充分に情報をあたえられた健康な成人であり、そのうえでヘロインをヒットすることを選択したのだとしたら、最初のヒットの責任はきみにある、ということだ。リスクと危険性を承知したうえでそういった行動をとるのであれば、私の共感を得るのは難しい。私はこれまで、躊躇も前置きもなくそう述べてきた。

しかし私だって、人間に過ちはつきものだということはわかっている――公的な経験からも私的な経験からも学んできた教訓だ。だから、オンエア上の言葉にここでちょっと色づけをする余地があったとしてもおかしくはないだろう。

私の批判は当然ながら、子供たちにはあてはまらない――ものの善し悪しも判断できないうちにディーラーやプッシャーといった輩の魔手にさらされ、幼いころから危険のただなかへと追いやられた子供たち。それから、未治療の精神的問題を抱えている人。絶望から逃れようと薬やその他のオプションに頼る人。怒りやいらだちのせいもあるのだろうが、私は鬱という絵を大きすぎる絵筆で描いてきたらしい。私は「オトシマエは自分でつけろ」世代に属している。鬱について会話をすることもなかったし、その意味についての共通理解もなかった。少なくとも仲間うちではそうだった。鬱は性格的欠陥として処理された。オトナになりかけのころよく聞いたのは、「乗り越えろ」というフレーズだ。私はそんなレッスンを自分のなかにとりこみ、他人に向かって吐き戻してきた。

私にはそれで充分だった。そうやってタフになったし、そうやって夢を実現した。現在でも、感情にふりまわされてうまく生きていけないなどと主張されると、ふとその人の気持ちを疑ってしまう自分がいる。確かに今では鬱病というものが存在することは知っているが、そういう意味で言えば嘘つきや詐欺師だって存在する。嘘つきや詐欺師は人生の責任から逃れるため、鬱のようにリアルな状態を利用しようとするだろう。鬱に苦しむ人もリアルだし、なまけ者もリアルだ。区別が難しいこともある。

依存症が病であるという考えかたは一般には理解しにくい。それは、依存症の症状とそれ以外の個人的問題の違いが見えにくいからだと思う――ドラッグをやりはじめるのは、多くの場合個人の選択だ。ドラッグをやる前は健康だったのに、わかっていながらそういう選択をする瞬間があって、そういう選択をする人間がいる。私が依存症に苦しむ人々に怒り、彼らを否定したとき言いたかったのは、そういうことだ。しかし現在では、以前なら想像もしなかった情状酌量の余地はあるのだと考えるようになった。

それでも私は、自ら立てたこの特別な旗を守る。ヘロインから煙草、コーヒー、ギャンブル、ジャンク・フードやソーシャル・メディアまで。コントロールがきかなくなったとき、こういったものが人をどんな目に遭わせるか、みんなが知っている（現在のような情報の時代であればなおさらだ)。そこには個人の責任という要素がある。私はいつもいらだってきた。どうしてシラフに「戻った」人間は拍手喝采され、最初から一度も手をつけなかった人間は一顧だにされないのか。

だが鍵は、そこに至った経緯だろう。ロック・スターになる前の彼らの生活にはチェック機構があったはずだ。両親だったかもしれないし、心配した友人だったかもしれないが、そういう人たちが彼らをいさめ、とめようとしただろう。「普通の人々」なら、逮捕の可能性やその余波を恐れて深みにはまらないのかもしれない。若者だったらこういう制約を不快に感じるかもしれないが、それでも思いとどまることはできるはずだ。

ところがいったん山の頂上にのぼってみると、残念なことに、そこにはチェック機構がほとんど存在しない。実際に体験した私が言うのだから信じてほしい。ある程度名声が高まると、まわりの人間はきみの聞きたいことしか言わなくなる。政情不安とコミュニケーション不足が叫ばれる時代にエコールームで生きる危険性についてはわかってもらえるだろう。名声はそういうエコールームをさらに強固にし、外からの影響を遮断する。好きなことをなんでもいつでもやれるだけの金と権力を手にしてしまうと、あとはもう、唯一の法則である自然の法則に身をゆだねるしかない。

まるではじめて口にするようなフリをして、あたりまえのことを言ってしまおう。ドラッグやアルコールの濫用は人を殺す。人を傷つけ、家族も友人関係も……そしてバンドも崩壊させる。しかしながら誰もが——誰しもが——気づいていようといまいと、心に悪魔を抱えている。私がトシをとって学んだことがあるとすれば、それは、この心が悪魔に乗っ取られることなどない、と昔ほど胸を張って言えなくなったということだ。

私の問題は決してドラッグではなかった。しかし問題として認めることをどれだけ嫌悪しても、違った意味でずっと縁を切れずにいる自分だけの「ドラッグ」はある。注目、賞賛、成功、評価、そしてチョコレート・ケーキ——私はこういった「ドラッグ」に依存している。それを認めることで、異なった内面的問題を抱えている人々への共感が容易になった。彼らのありようを理解することはできないかもしれないが、そんな人々が存在するのだということや、彼らがリアルなのだということは認識できた。

昔の私が自分の悪魔どもを認めることができなかった主な理由は、薬物濫用で苦しむ著名人がしっかりトラブルに取り組めずにいる理由と同じだ。イエスマン問題。ロック・スター、アイコン、反逆者、ヒーローといった、支配力も影響力もピークにある人間に向かってあれこれ指図できるヤツなんて、どこにいるというのだろう。文化的君主や創造的革命家に向かって、グラスやパイプや注射針を放りだして自分を改めろなんて、いったい誰が言えるのだろう。外にいる若者の群れが、ずっと同じことをやりつづけてくれと要求しているというのに。

　ロックンロール産業における私の人生やキャリアは、周囲の人間が薬物に関して間違った選択をしてきたせいで、少なくとも迷惑のかけられどおしだったし、極端な言いかたをすれば悲劇だった。中毒者たちはプロ人生が始まって以来ずっと、私のまわりの暗黒軌道を経巡(へめぐ)ってきた。薬物濫用のせいで友人やパートナーやチャンスが消えていった。腹蔵(ふくぞう)ないところを言えば、私がフラストレーションをため、不寛容になっていった理由はそういうことにある。ドラッグに対して怒りを感じるのは結局のところ、ドラッグが私の大事な人たちにどんなことをしたのか、この目にしてきたからだ。つまりは防衛機能。友人や仲間がそんな選択をするのを見たときは、襟首をつかんでビンタを食らわせ、正気に戻してやりたくなった。おそらくこれからも、そんな選択を理解することはないだろう――だがそれは最初の選択に関してであり、のちに依存症になって、その結果しかたなくおこなう選択については別の話になる。依存症はコントロールできない。多くの人が無力だ。しかし最初にドラッグをやって依存症に「なる」選択に関しては――コントロールできるはずではないのか。そういうふうにして堕ちていく友人の姿を目にすると、いろんな思いで心がいっぱいになる。彼らを彼ら自身から救ってやりたいと思う。怒りを感じる。激しい怒り。今でもそんな人に会うと、同じ思いに駆られる。だからもう一度言っておこう。謝罪はしない。自分の立場を明らかにするだけだ。

以上すべてを踏まえたうえでの本書の意図とは、音楽産業の内外で活躍して二十七歳で世を去ったさまざまな文化的存在を語り、理解の筋道を見つけ、共感を示すことだ。内的なものであれ外的なものであれ、そういった若者たちにどんな力がかかり、どうやって彼らがまちがった道をたどったのか推察してみたい。同様に、彼らの生と死が当時の文化にとってどんな意味を持っていたのかも考えたい。本書の大半では、肯定も否定もおこなわない。これはただ、理解するための試みだ。多くは伝記的な記述や、単純な観察や、私の視座からの感想になるだろう。願っているのは、どんなささいな形であっても、私の観点が台風の目から直接眺めたものとしてなんらかの意味を持ち、昔ながらの議論に新たな光を投げかけてくれることだ。言ってみれば私は呪いをときたいのだと思う。自己破壊などしなくても、この本でとりあげた人々はすばらしい仕事をしたのだと明らかにすること。早逝や精神的混乱や依存症との闘いが彼らの遺産をさらに輝かせるなんて、そんなことがあってはならないし、彼らの物語の焦点になってはならない。逆に言えば、私たちの悲しみはまっとうな悲しみであるべきだ。壁にぶちあたるのはすごくクールなことだ、などという妙な但し書きに飾られたものであってはならない。もし私たちが、死の魅惑など単なる神話に過ぎないとしっかり認識すれば、次世代の若き偶像（アイコン）はそんな流れを引き継ぐ必要など感じずにすむかもしれない。

自分たちなりの革命を始め、実際やりとげられるかもしれない。そして私たちも、死より生に焦点を合わせれば、こういった人々をただの人間として考えられるかもしれない。もし何かを美化するのであれば、ハズカシイ秘密やオイシイ噂話ではなく、アーティストたちの作品や人間性をこそ美化しようではないか。

偉大になりたいという夢を持つ若者は、重荷を背負わされているのだろう。彼らは、神話的な偉大さを獲得するには自己破壊（どんな形であれ）こそが正しいやりかただ、というウイルス性の物語に感染し、人から尊敬され求められるヒーローになるにはそれが唯一の道だと思いこんでしまう。私たちもまた、「あれだけまぶしく輝いたんだから、寿命の半分も生きられなくてもしかたがない」と言って著名人の死を神話化する。そして多くの人が「偉大さ」というステイタスは自己破壊から派生するものだと考える。しかしそんなことなど、私は信じない。言わせてもらえば、「27クラブ」というパターンへの憧れなんて、生きることの不条理になんらかの意味を見いだし、死の棘を抜きたいという欲求のあらわれでしかない。本書に登場するアーティストたちは、現実を生きたただの人間だった。誰もがそうであるように、だらしなくて、欠点だらけで、不条理な生きものだった——私と同じ人間、きみと同じ人間だ。ひとりひとりの経験はその人だけのものであり、比較不能で、ゆえに探究する価値を持っている。

だから、改めて言おう。判断を下すくらいなら、憧れていようじゃないか。英雄や悪漢、神や偶像ではなく、あたえた影響の善し悪しでもなく、単に、彼らのことを人間として理解してみようじゃないか。

*1 『キース・リチャーズ：アンダー・ジ・インフルエンス』監督モーガン・ネヴィル 制作トレモロ・プロダクションズ／ラディカル・メディア 配給Netflix 81分（アメリカ2015）

*2 「セレブリティ・デスス・ザット・チェンジド・ミュージック・ヒストリー：ゴーン・トゥー・スーン」デヴィッド・ブラウン RollingStone.com 08/14/2017

*3 『ダズ・ザ・27クラブ・エグジスト?』M.ウォルケウィッツ、A・アリグノール、N・グレイヴズ、AG・バーネット『The BMJ Vol.343』12/2011

*4 同右

*5 同右

*6 『ダーク・サイド・オブ・ザ・ウーム：パート2』スタッド・ブラザーズ『メロディ・メイカー』誌 08/28/1993

*7 「アバウト・アス」Forever27.co.uk 06/11/2018アクセス

†

ROBERT JOHNSON

ロバート・ジョンソン

1911－1938

「俺と悪魔　並んで歩いてる」

——ロバート・ジョンソン[*1]

ポップ&ロック・アーティストの信頼できるリストならどれだって、最初に出てくるのはブルース・アーティストだ。そしてベスト・ブルース・アーティストのリストならどれだって、ロバート・ジョンソンをトップへ持ってくるだろう。

ジョンソンが音楽や文化にもたらした影響を数量化するのは難しいし、はじめて聴く人はきっと驚かされると思う。彼のレコーディングは当時のブルースのほとんどがそうだったように、ムキだしで、ナマで、ザラついていて、シンプルだ。だが形にできないカリスマと生々しさのせいで——そして悪魔とファウスト的な約束をかわしたという都市伝説がいつまでたっても効力を失わないせいで、もう何十年もジョンソンは、アメリカ音楽の主役の座をほしいままにしてきた。ヒーローとして彼を崇めるだけでなく、大きな影響を受けたと認める人は無数にいる。エリック・クラプトン、キース・リチャーズ、ジミー・ペイジ、ボブ・ディラン、フリートウッド・マック、オールマン・ブラザーズ・バンド。誰もが知っている名前ばかりだ。本人と認定された写真はたったの二枚だけ（訳注：二〇二〇年になって三枚目とされる写真が発見された）。どんな人生を送ったのか、あきれるくらい不明な部分ばかり。商業的にはほとんど成功せず、レコーディングもほんの数回。そんなミュージシャンが、後世にこれほど名を残しているわけだ。

ジョンソンの個人史は謎に包まれている。掘りおこされるのは実際、彼の人生の物語の骨子だけであり、細部は伝聞に頼るしかなく、信頼できる記録も残されていない。二度結婚したことはわかっているが、いつなのかは諸説紛々（しょせつふんぷん）だ。彼はジューク・ジョイントを転々とした——ジューク・ジョイントというのは、南部のアフリカン・アメリカンが足繁く通った大衆的音楽酒場だ。師匠は伝説のブルースマン、サン・ハウス（1902-1988）。ジョンソンに関する直接的かつ価値ある証言は、ほとんどサン・ハウスが残している。そのほかは、どうにも特定しにくい。ジョンソンの個人年表に含まれる無数の日付は、噂や伝説や矛盾した話のなかに出てくるものばかりだ。

ジョンソンが生きた一九一一年から一九三八年、アメリカの黒人にとって世界は危険な場所だった。彼の歌詞の多くや嘆き悲しむように苦しげな歌の背後からは、この恐怖が聞こえてくる。私たちにわかっているのは、生まれがミシシッピであり、たくさんの兄弟姉妹（父や母がちがう場合も含めて）がいたことだ。彼自身、私生児だった。母ジュリアはチャールズ・ドッズという小作人と結婚していたが、実父はプランテーションで働いていたノア・ジョンソンという男だ。兄弟たちが成長すると、ロバートはメンフィスにいたドッズのもとにやられ、そこで生活するようになった。ドッズは暴徒のリンチを恐れ、耕していたミシシッピの土地を離れていたようだ。[★2] ロバートはメンフィスでギターを習いはじめたが、その後母親（と新しい夫）のもとへと帰された。ギターは九歳になる前から弾きたがっていたらしい。義父が守ろうとした安全な田舎の生活を拒絶したわけだ。

結婚したのは十代の終わり。相手はヴァージニア・トラヴィスというさらに年下の女性だったが、彼女は産後まもなく亡くなった。一九九二年に作られた『ロバート・ジョンソンへの旅〜その音楽と人生』というドキュメンタリーでは、彼女の血縁者が、ヴァージニアが死んだのはジョンソンのせいで「神様から罰を受けた」からだと証言している。[★3] 当時、非宗教的な歌を歌いたいと考えるのは「悪魔に魂を売る」大罪でもあった。だが研究者のロバート・〝マック〟・マコーミックはこのドキュメンタリーのなかで、自分のやりたいことについてあれこれ言われてもジョンソンはあまり気にしなかったのではないか、と話している。ジョンソンはとどのつまり、コミュニティのメンバーが期待しているようなスピリチュアルで家庭的な農場生活を送るより、浮世の歌を歌いながら生きていきたいと心に決めていたのだろう。

ジョンソンにまつわる不吉な伝説が、こんな初期のころからいくつも作られていったことはよくわかる。だが、ジョンソンの人生に関する噂が音楽的後継者にどれほどの魔力をふるうかなんて、当時の人々にはわからなかったはずだ。「破戒」は伝説をさらに強力なものにした。とは言っても、産後の肥立ちが悪くて亡くなった妻のことを超自然的な意味で自分のせいにされるのは、トラウマが残るくらいつらいことだったにちがいない。

ジョンソンは師を求めつづけ、学習曲線はかなりの角度で上昇していった。彼の人生における最大の転機はおそらく、サン・ハウスがミシシッピ・デルタへやってきたことだったのではないだろうか。デルタ——綿花プランテーションに覆われた平坦で肥沃な氾濫原。アメリカン・ブルースが誕生した場所だ。十九歳のジョンソンは（童顔だったせいでサン・ハウスは十六歳だと思ったらしいが）、ヒーローのあとについてロビンソンヴィルにあったジューク・ジョイントをすべてまわり、床にあぐらをかいて、サン・ハウスとギター・プレイヤーのウィリー・ブラウン（1900-1952）の音を何から何までスポンジのように吸収していった。[*4] ハウスは次のように回想している。

俺たちがそういう店へプレイしに行くとさ、あいつはこっそり家を抜け出して俺たちのとこへやってくるんだよ。母親も義理の父親も、あいつが土曜の夜そんなところへ行くのをよく思っちゃいなかった。すごく荒っぽい場所だったからね。それでもあいつはこっそり抜け出してくるわけさ。母親が寝るのを待って窓から抜け出して、俺たちんとこまでやってくることもあったよ。ウィリー（・ブラウン）と俺がいるとこまで近づいてくると、床に腰をおろして、俺たちを交互に眺めてな。[*5]

最初のころハウスは、のちに弟子となる男のことをこころよく思っていなかった。ブラウンとのステージ・タイムを邪魔することが多かったからだ。ふたりが煙草を吸いに外へ出ると、誰の許可も得ずにギターを拝借することもあったという。

ハーモニカは吹けたしけっこううまかったんだが、あいつはギターを弾きたがっててね……でも聞いたこともないくらいヘッタクソでな。みんなを怒らせちまうわけさ。みんな（外に）出てきて、「さっさと戻ってあのガキからギターをとりあげろ」って言うんだよ。「ロバート、そういうことするんじゃない」って叱ったんだがな。「みんなが嫌がってんだろ。おまえにゃなんにも弾けねえんだ」ってな。でも、どれだけ言ってもあいつは聞かなかったよ。とにかくやりはじめちまうんだ。[*6]

ヒーローから酷評されても、ジョンソンはへこたれなかった。ギターを教えてくれとハウスに頼みこみ、ついに、手ほどきしてやろうかと言わせた。その後一年のあいだ旅に出ると、できるかぎり多くのジューク・ジョイント（ときには街角）で演奏した。そして彼が最終的に戻ってきたとき、ハウスは演奏を聞いた。

今度はまったくちがっていた。「すごくうまかったんだよ。終わったときにゃ、俺たちみんな、あんぐり口をあけたままだった」とハウスは回想している。[*7]

ステージでの存在感も増していた。リチャード・ヘイヴァーズは「話によれば、彼はよく、聴衆のなかのひとりの女性だけに気持ちを集中して演奏していたという。誰かを怒らせるとすぐに喧嘩が始まるような世界では、危険なやりかただ」[*8]と書いている。また、これはおそらくジョンソンの特徴のひとつだろうが、正反対の証言として、部屋の隅で壁を向いて弾くのが好きだったという話もある。極端に内気だったからだと言う人もいれば、壁の角度が自然なアコースティック・アンプの役割を果たしていたと主張する人もいる。

ジョンソンはいったんデルタを出て行き、戻ってきたときにはとんでもないくらいの新しい才能を手にしていた。そしてこのミステリアスな空白期間のせいで、彼の物語は事実から神話へと色あいを変えていった。神話の基本的な筋立てはだいたいのところ、次のようなものだ。サン・ハウスやその他のミュージシャンと同じくらい偉大な存在になってやろうと決めたジョンソンは、それなら真夜中、とある十字路へギターを持っていけ、と言われた（誰に言われたのかは明らかではない）。この十字路がどこにあるのか、実際に存在するのかどうかについても、諸説紛々だ。私も訪れたことがあるのだが、ミシシッピ州クラークスデイルには、ここここそホンモノだと喧伝している観光名所がある。しかしこれに関しても異論は多い。

とにかくこの十字路でジョンソンはミステリアスな男に出会った。男はギターをチューニングし、しばらく弾いてからジョンソンに返した。このことがまるで魔法のように、超人的な音楽能力とカリスマと名声をジョンソンにあたえた。そしてその代償は、彼の不滅の魂だった。[*9]

ブルースマンが悪魔に魂を売って音楽的な偉大さを獲得するという伝説は、そのころにはすでによく知られたものだった。ジョンソンがあっという間にスキルを高めたことは、この話にうまくあてはまったわけだ——少なくとも、話を信じたい人間にはそうだっただろう。民俗学者のバリー・リー・ピアソンとビル・マカロックによれば、「誰もがこの悪魔の話を真実にしたいと願い、そのあまり、証拠となるディテイルをあちこちで見つけようとした」[*10]という。ジョンソンの死にまつわるいくつかのミステリアスな出来事が、そんな願いを熱望に変える後押しをしたのだろう。

一九三六年、ジョンソンはテキサスで自分の歌を録音するチャンスに恵まれた。[*11]「テラプレイン・ブルース」は中程度のヒットとなり——おかげで二度目のレコーディング・セッションをおこなえるようになったが、結局これが最後の録音になった。後世に残したのはたった二十九曲（訳注：これは別テイクを除いた数字）。

二年後の八月十六日、ジョンソンは死んだ。そのことはわかっている。

さて、矛盾する逸話をいくつか……。

言うまでもないが、二十世紀前半の黒人の死亡記録はしばしば不完全でいいかげんだ。ジョンソンの場合も例外ではない。公式な死亡証明書では、二十六歳（郡の戸籍係があてずっぽうで書いた数字らしく、まちがっている）で梅毒で死んだとなっている。おまけに、証明書の裏には手書きでこんなことが書かれていた。まるで、短いホラー小説のような文章だ。

私はこの黒人（ニグロ）が死んだ家の持ち主である白人男性とも、その場にいたニグロ女性とも話をした。プランテーションの持ち主の話によれば、二十六歳くらいに見えるこのニグロ男性は、死ぬ二、三週間前にトゥニカからやってきて、プランテーションで開かれたニグロ・ダンスでバンジョーを弾いていたという。男はほかの何人かのニグロたちと家にとどまって、綿花を摘みたいと言っていた。白人男性は、自分の使用人でもないこのニグロのためには医者など呼ばなかった。男は郡が用意した手作りの棺に入れられて埋葬された。プランテーションの持ち主は、自分の見立てで梅毒を死因としたと述べている。[*12]

ジョンソンの人生について詳しい人なら誰だって、いくつかのまちがいに気づくだろう。まず、年齢。そして彼がギターではなく「バンジョー」を弾いたということ（ありえない話ではないが、実に疑わしい）。何より重要なのは「プランテーションの持ち主は、自分の見立てで梅毒を死因とした」とある点だ。ジョンソンの死因は、そうやって決定された。

まったく別の話もある。デヴィッド・〝ハニーボーイ〟・エドワーズ（1915-2011）とサニー・ボーイ・ウィリアムソン（1914-1938）はそれぞれ大きな影響力を持ったブルースマンだが、彼らはジョンソンが死んだときその場にいたと言われている。（訳注：サニー・ボーイ・ウィリアムソンというブルースマンはふたりいる。この生年によればサニー・ボーイ・ウィリアムソンⅠのことのようだが、ロバート・ジョンソンに関する逸話を残したのは、ライス・ミラーとも名乗ったもうひとりのサニー・ボーイ（1912［諸説あり］-1965）。ちなみにサニー・ボーイⅠの死亡年は一九三八年ではなく一九四八年）ふたりの話によればジョンソンは、彼に妻を寝取られたことを知って嫉妬したジューク・ジョイントのオーナーに殺されたという。[13] ウィリアムソンは、オーナーがジョンソンのウィスキー・ボトルに毒を入れたと主張した——おそらくはストリキニーネだが、これについても諸説ある。マック・マコーマックも毒殺説に賛成し、ある時点では、犯人の氏名までわかったと公言したのだが、結局それを明かすことはなかった。[14] また、〝ハニーボーイ〟・エドワーズによれば、ジョンソンはその晩のステージで聴衆から次々と酒を振舞われ、夜がふけるころにはすっかり調子を崩して演奏を続けられなくなった。最初はただの飲み過ぎだと思われていたのだが、数日たっても部屋から出てこず、血を吐きながら（エドワーズの言葉では）「犬みたいに這いつくばって吠えまわって」いた。[★15] ジョンソンはひどい痛みのなかで息絶えたという。彼の生死の物語同様、埋葬地に関してもさまざまな議論がなされている。ホンモノだとされる墓石が、いくつか異なった場所にあるのが実情だ。

悪魔と十字路の伝説は、ほとんどの都市伝説や民間伝承がそうであるように、ひとつの起源を持たないし、ジョンソン自身、悪魔との出会いを歌にしたことはない。最も有名な曲「クロス・ロード・ブルース」（その後クリームやエリック・クラプトンがカバーしてさらに名をあげた曲だ）が語るのは、「車に乗せてもらおう」として夕暮れにヒッチハイクをする男の物語だ——当時の黒人にしてみれば、危険ではあるがさして珍しくもない状況だろう。だがこの曲の歌詞にしても、「ヘルハウンド・オン・マイ・トレイル」やほかの曲の歌詞にしても、悪魔とのファウスト的契約をはっきり歌っている部分はない。

今に伝えられる形で、この神話に最初の光をあたえたのは、サン・ハウスその人だったようだ。ピート・ウェルディングが一九六六年に書いた記事には、こんなくだりがある。「サン・ハウスはどこまでも真剣な口調で、ジョンソンが故郷から離れていた数か月のあいだに『あんなふうにプレイできるようになるかわりに悪魔に魂を売った』と示唆した」[16]。ウェルディングは「どこまでも真剣」という表現を使っているが、それが単なる比喩なのか、またはサン・ハウスがほんとうにそう信じていたと断じているのかはよくわからない。記事のなかで悪魔に言及しているのは実質的にこの部分だけだが、こういう逸話がいくつも寄り集まって燃料となり、現代に至るまで何十年にもわたって神話の炎を燃やしつづけてきたのは証明済みだ。

ジョンソンの時代、ブルースという音楽と悪徳が密接な関係にあるのは周知の事実だった。ゴスペルでないものはすべて胡乱なものだった。だから、ジューク・ジョイントとブルースで身を立てることは、当然ながら「浮気や性交や博打や嘘や飲酒」[17]と同列に語られた。伝説的ブルースマン、チャーリー・パットンの友人であり、自身もブルースマンだったレヴェレンド・ブッカー・ミラーはそのことを端的に語っている。「昔の人ってのは、ブルースをプレイするような生活をしてちゃ悪魔にやられる、って信じてたんだよ」[18]。ライターのアラン・ローマックスはこう述べた。「すべてのブルース・フィドラー、バンジョー・ピッカー、ブルース・ハープ吹き、ピアノ弾き、ギター鳴らしは、自分の目から見てもまわりの目から見ても悪魔の子であり、抱き合って踊るヨーロッパ流ダンスを黒人たちが眺めたときに感じた大いなる罪深さの象徴だった」[19]。

思うにこんな世界観こそが、今やおなじみ「セックス・ドラッグ・アンド・ロックンロール」文化の揺籃期を支えたのではないだろうか。27クラブ現象の真の起源はここにある。音楽と名声と偉大さを広く追いもとめることには魅惑的で妖しい危険性がつきまとい、世俗の喜びはいつも、なんらかの「悪」や怪奇小説のような結末と関連づけられなければならない。私にしてみれば驚くべきことだが、こういう考えかたは時の試練を乗り越えてきた。しかし、こんな考えが必要だったとは思わない。ジョンソンは好きこのんで危険な世界を生きたわけではなかった。黒い肌で二十世紀初頭のアメリカに生まれてきただけのことだ。神の干渉などなくても、物事はすでに充分危険だった。私たちがこんな危険さの虜になるのは（安楽椅子にゆったり座ったままで）、ブルースのどまんなかにある大事なポイントが理解できていない証拠だろう。そのポイントとは、不公平な状況への抗議だ。

マーケティングという意味においては、ジョンソンは驚くことにフェンスのこちら側、つまり、私のいるほうに立っていたらしい。悪魔のイメージをまとえば、「レコード購買層やジューク・ハウスの遊び人のあいだで評判になる」[20]ことをわかっていたわけだ。この法則には確かな効力がある。以来、私を含めた多くの音楽業界人がこの戦略にヒントを得てきた。私の「悪魔」のペルソナ。アリス・クーパーやマリリン・マンソンのフェイス・ペイントや歌詞やステージ・マナー。ブラック・サバスやジューダス・プリーストのイメージ作り。レッド・ツェッペリンの異教のシンボルやアレイスター・クロウリーへの傾倒。ローリング・ストーンズの示した「悪魔への共感（シンパシー・フォー・ザ・デビル）」。すべては、同じ種の神話、同じ危うさとの戯れを示唆している。私たちの大半は超自然など信じていない。それは言うまでもないことだろう。しかしながらイメージとは魅惑的であり、神秘的であり、危険なものだ——私たちのイメージは当然ながら親を震えあがらせ、レコード購買層のティーンエイジャーを喜ばせた。モダン・ミュージックのほとんどがそうだが、私たちはこの法則に関して、ロバート・ジョンソンのようなブルースマンから多くの恩恵を受けている。すべての始まりは彼らだった。

　ロバート・ジョンソンは、謎めいた状況で早逝したという理由だけでレジェンドになったのだろうか？　そうでないことは、彼の物語が証明しているはずだ。彼の伝説的なスキルは、世を去る前からとっくに噂になっていた。悪魔との交わりなんていう与太話がなくても、そのスキルだけで抜きん出た存在だった。「あまりなじみのない耳には、ジョンソンのレコーディングもほかのデルタ・ブルースのミュージシャンと同じように、ほこりっぽい雰囲気のなかで嘆き節を歌っているようにしか聞こえないかもしれない。だが注意して聞けば、彼が当時どれほど革新的だったかがわかるだろう。（中略）ジョンソンの苦しみに満ちた魂の歌と、不安のいりまじったギター・プレイは、同時代のどのコットン・フィールド・ブルースにも見当たらないものだ」[21]。だとすると、彼が長生きしていればその後どれだけのものを作りあげたか、どれほど強大な影響力を誇ったか、結局わからなかったのは実に残念なことだ。ジョンソンについても、本書でとりあげたほかの人々についても、その死を責めることはできない。責められるべきは、彼の置かれた危険な環境だけであり、そして私たちにできるのは、彼が逆境のなかでこれだけのものを残してくれた事実を喜ぶことだ。ジョンソンの早逝はどこかどう見ても、彼の人生の歴史や伝説のなかで最もとるにたらない部分でしかない。

＊1「ミー・アンド・ザ・デヴィル・ブルース」ロバート・ジョンソン（アメリカ1937）ヴォカリオン・レコード　プロデューサー：ドン・ロー

＊2『サーチング・フォー・ロバート・ジョンソン：ザ・ライフ・アンド・ザ・レジェンズ・オブ・「ザ・キング・オブ・デルタ・ブルース・シンガーズ」』ピーター・ギュラルニック（アメリカ・プリューム社1998）』

＊3『ザ・サーチ・フォー・ロバート・ジョンソン』（イギリス1992　監督：クリス・ハント　制作：イアムビック・プロダクションズ／フィルム4　72分）

＊4『プリーチン・ザ・ブルース：ザ・ライフ・アンド・タイムズ・オブ・サン・ハウス』ダニエル・ボーモント（オックスフォード・ユニバーシティ・プレス　イギリス　2011）

＊5 同右

＊6 同右

＊7 同右

＊8『ザ・デヴィルズ・ミス・ザ・ミス・オブ・ロバート・ジョンソン』リチャード・ヘイヴァーズ　udiscovermusic.com 11/23/2016

＊9「ロバート・ジョンソン」wikipedia.com 04/11/2018アクセス

＊10『ロバート・ジョンソン：ロスト・アンド・ファウンド』バリー・リー・ピアソン&ビル・マカロック（ユニバーシティ・オブ・イリノイ・プレス　アメリカ　2008）

＊11「ロバート・ジョンソン・アット・100スティル・ディスペリング・ミスズ」ジョエル・ローズ　NPR.org 05/06/2011

＊12『ロバート・ジョンソン　ミスメイキング・アンド・コンテンポラリー・アメリカン・カルチャー』パトリシア・R・シュローダー（ユニバーシティ・オブ・イリノイ・プレス　アメリカ　2004）

＊13 同右

＊14『ジ・アメリカン・レヴォリューション：フロム・カントリー・アンド・ブルース・ルーツ・トゥ・ザ・エイヴェット・ブラザーズ、マムフォード&サンズ、アンド・ビヨンド』マイケル・スコット・ケイン（ロウマン&リトルフィールド　アメリカ　2017）

＊15『ロバート・ジョンソン　ミスメイキング』P・シュローダー（2004）

＊16『ロバート・ジョンソン：ヘルハウンド・オン・ヒズ・トレイル』ピート・ウェルディング　ダウンビート誌　1966

＊17『チェイシン・ザット・デヴィル・ミュージック：サーチング・フォー・ザ・ブルース』ゲイル・ディーン・ウォードロウ（バックビート・ブックス　アメリカ　1998）

＊18 同右

＊19『ザ・ランド・ホエア・ブルース・ビギャン』アラン・ローマックス（ザ・ニュー・プレス　アメリカ　2002）

＊20『チェイシン・ザット・デヴィル・ミュージック』ウォードロウ（1998）

＊21『スティル・スタンディング・アット・ザ・クロスローズ』マーク・マイヤーズ（ウォール・ストリート・ジャーナル　05/22/2011）

†

BRIAN JONES

ブライアン・ジョーンズ

1942–1969

「現実を見ようじゃないか。
ローリング・ストーンズの
ひとりとしての未来なんて、
すごく不確かなもんだよ」[*1]

──ブライアン・ジョーンズ

ブライアン・ジョーンズの物語は、このリストに含まれる多くの人々と同じく、イカロスの物語だ。心の準備もできないまま、途方もない高みに登りつめ、その代償を支払う物語。ジョーンズはいわゆる二面性の男だった。半分は、創造性と野心に富み、先見性を発揮してビジネスでも実生活でも多くをなしとげた男。もう半分は、自堕落で、心に矛盾を抱え、バカな選択をし、依存症になってとんでもない行動をとった男。

彼は史上最も偉大なロックンロール・バンドのひとつを結成し、ザ・ローリング・ストーンズという名前をあたえ、多くの論評によれば、その推進力となった。ド派手な人生を生き、結果、体力の限界をこえてしまった男。そんな男がどこまで行ってしまったのか。キース・リチャーズ（1943年生まれ）やミック・ジャガー（1943年生まれ）も、ドラッグまみれの野放図な生きかたで悪名をはせた男たちだが、そんな彼らがブライアンとはつきあっていられないと思ったほどだった。しかしストーンズの初期、すべてのボートを波に乗せる大いなる潮流となったのは、ほかならぬジョーンズだ。

彼はマルチ・インストゥルメンタリストであり、幼いころから多種多様な非伝統楽器をプレイした。生まれたのは一九四二年、グロスターシャー州のチェルトナムというイングランドの小さな町。両親は幸運なことに、音楽的素養を持った人たちだった。母親はピアノ教師であり、父親はギターやキーボード、ハーモニカを演奏した。ジョーンズはエイミー・ワインハウスと同じように反抗的で、真の個性を持った人間であり、ジム・モリソンと同じように読書家で、最小限の努力と興味だけで好成績をおさめることができた。彼は「監督生に対して反乱を起こそうとした」[★2]という理由でチェルトナム・グラマー・スクールを退学になった。また、十代の終わりから二十代のはじめにかけ、数人の子供の父親にもなった。ストーンズなんて、まだ影もカタチもなかったころだ。

石炭ローリー（トラック）の運転手などの職を転々としながら生計を立て、音楽に没頭した。そして同時に、誰と組めば音楽的な夢を実現できるのか探るため、いろんなやつらを値踏みしていった。バンドを始めたいのでメンバー募集、という広告を真っ先に新聞に載せたのは彼だったし、結局その広告に興味を惹かれて反応したのは、たがいに幼なじみだったジャガーとリチャーズだった（それ以前にも応募者は何人かいたが、しっくりこなかったようだ）。つまりジョーンズこそがストーンズの創始者だったわけだ。バンドに名前もないころから、ライヴハウスのオーナーに電話をかけて出演枠をとろうとした。「ザ・ローリング・ストーンズ」という名前を思いついたのも彼だ。電話をかけていたとき、ふと目の端にとまったマディ・ウォーターズ（1913−1983）のレコード。そこには『ローリン・ストーン・ブルース』と書いてあった。[★3] まさにその瞬間、何かが頭にひらめいた。うまくいくと思った。少なくとも最初の段階では。

彼はギグをブッキングし、バンドを人目にふれさせ、名を広めながら、強い意志でストーンズを押しあげていった。初期のころ、最も熱心に転がろう（ローリング）としたのはメンバー兼マネージャーだったジョーンズだ。当時の多くのバンドと同じく、ローリング・ストーンズのキャリアもブルースやR&Bのカバーから出発した。彼らを触発したアーティストは、たとえば、チャック・ベリー（1926−2017）、ハウリン・ウルフ（1910−1976）、リトル・リチャード（1932−2020）、そしてもちろんロバート・ジョンソン。

ストーンズが駆けあがっていく過程でジャガーとリチャーズはどんどん親密になり、逆にジョーンズはひとり離れていくようになった。今考えてみれば、ラシュモア山の大統領たちのようにストーンズ最大の「顔」となるのは、やはりジャガーとリチャーズだろう。それ以外には想像しにくい。しかし短いあいだではあっても、ジョーンズがバンドの顔であり、焦点だった時期は存在した。初期の彼はジャガーと同じくらい女の子の心をときめかせた。疑うなら、『アウト・オブ・アワ・ヘッズ』『ビッグ・ヒッツ（ハイ・タイド・アンド・グリーン・グラス）』『アフターマス』『ディセンバーズ・チルドレン』といった、初期のアルバム・ジャケットに写っているメンバーの顔のサイズや、カメラまでの距離を比べてみるといい。言うまでもないことだが、それ以降、ジャガーが背景に埋もれたことはほとんど一度もない――のちのアルバム『山羊の頭のスープ』の表ジャケットを飾っているのは彼の顔だけだ。しかし初期のころ、バンドの「ハンサム・ガイ」という憧れの称号をジャガーと首の差で争っていたのはジョーンズだった。
すでにヤリすぎ状態に入っていたジョーンズの薬物使用は、バンド・ビジネスのいろんな場面で障害を生みつづけた——本人であれ、本人と向きあわなければならなかったメンバーであれ、ほとんどのミュージシャンが同じ経験をしたことだろう。私だって例外ではない。そういう事態はすべてに影響する。生産性、創造性、メンバーとの交友。すべてだ。事態が深刻になると、天才神話が吹聴するのとは正反対の効果が生じてくる。創造性の崩壊。幼児退行。ライターのゲーリー・ハーマンはこう書いている。ジョーンズは「音楽を作ることなど実質的にできなくなっていた。ハーモニカを吹こうとするだけで唇を切って血を流すほどだった[*4]」。

ジャガーは言った。

キースと俺もドラッグはやったけど、ブライアンはヤバいやつをやりすぎてて、ミュージシャンとして機能できなくなってたよ。姿を現すのかどうか、現したとしてもどんな状態なのか、さっぱりわからなかったし、そんな状態で何ができるのかもわからなかった……

あるとき、俺たちが床で輪になって座って『ノー・エクスペクテーションズ』をやってたら、あいつがギターを持って、すっごくきれいなライン（原文ママ）を弾いたんだ。レコードにも残ってるよ。ブライアンがブライアンらしいことをやったのは、覚えてるかぎりあれが最後だったね。[5]

ジョーンズはスケジュールをすっぽかすようになった。気分もころころ変わった。ある瞬間、ニコニコ笑って魅力を振りまいていたと思ったら、次の瞬間にはとてつもなく攻撃的になったり、ふさぎこんだり、なげやりになった。[6]若い心にわだかまる不安のせいで、友人やメンバーとの意思疎通が困難になり、それゆえにドラッグに頼るようになった。

「俺の最終ゴールは絶対に、ポップ・スターになることなんかじゃない。そういうことは留保つきで楽しんでるけど、アーティストとしても人間としても心から満足はできないね」[7]ジョーンズはあるインタビューでそう語った。

音楽的な生産性も落ちていった。「あいつはもう〝バイバイ〟ランドに行ってたんだよ」[8]とキース・リチャーズは言った。そこへもってきて、ジョーンズのガールフレンドのひとりがリチャーズのもとへと去ってしまい、共同作業はさらに難しくなった。ジョーンズは状況に対処しようとして、さらに深く薬物濫用の淵へ沈んだ。薬物所持で数度にわたって逮捕されたせいで、ツアー用のビザは取得できなくなり、新作への貢献度も、どう見ても最小限のものでしかなかった。

このことが最後の決め手となったようだ。残りのメンバーは全員一致でジョーンズと袂を分かつことを決定した。誰に言わせてもジョーンズが生みだし、作りあげた（そして名づけた）バンドが、彼に別れを告げ、そして彼もそんなバンドに別れを告げた。ジャガーはこう回想している。「ものすごく難しい決定だった。バンドの最初のころからいっしょにやってきたやつなんだからね。ああなったのは正直、自業自得だよ。でも今ふりかえって考えると、俺たちにも何かできたはずだとは思う。何か、もっとね」[*9]。何度も検証されてきた物語だ。この物語はストーンズ以前のバンドにも以降のバンドにも波紋を投げかけた。私の場合だってそうだ。こんな決定をくだしたい人間なんてどこにもいない。なのに友人や同僚がドラッグの深い穴に落ちこんでしまったら、物事は絶対、以前のようには進まなくなる。揺るぎない存在と止めようのない流れとが衝突するのだから、当然だろう。

それからまもなくして、当時ガールフレンドだったアンナ・ウォーリンが、自宅のプールでうつぶせになって浮かんでいるジョーンズを発見した。血中からは、いつもの量の薬物とアルコールが検出された。ストーンズに知らせが届いたのは、プロデューサーのジミー・ミラー（1942－1994）とスタジオ入りしていたときだ。そのことを告げられたメンバーは、一様に曖昧な反応を見せた。リチャーズは言う。「みんなでただ、顔を見合わせてね。『ついに、か』ってさ。いつかこういうことになるだろうって、ほとんどそんな感じだったからね[*10]」。

彼の死後何度も立ち現れたのは、ブルース・ヒーローのひとりだったロバート・ジョンソンの残像だ。ブライアンは殺されたのだと言う人々が出てきて陰謀説が広まり、ウォーリンもそれを裏づけるような発言をした。「ブライアンは今でも、無愛想でボロボロな暗い人間だって思われてる。ドラッグをやってたからクビになったんだ、酔っぱらってたかハイになってたから死んだんだ、って。でもわたしのブライアンは最高で、魅力いっぱいの人だった。前よりずっとハッピーだったし、ドラッグもやめて、これから思うように音楽をやっていくんだって張り切ってた。わたしには最初からわかってる。あれは自然死じゃなかった。絶対にちがう[*11]」。

世界中の若者たち、とくにロンドンの若者たちが彼の死を悼んだ。私に言わせれば、ここには暗いアイロニーがある。なぜならその数週間前には同じ若者たちが、ジョーンズのドラッグまみれのとんでもない生きかたを讃えていたのだから。

ストーンズの正史は前へと進み、ジョーンズの遺産への評価は低くなった――それがフェアなことかどうかは、誰に尋ねるかで違ってくるだろう。『ブライアン・ジョーンズ：ザ・メイキング・オブ・ザ・ローリング・ストーンズ』という伝記を著したポール・トリンカは「歴史は勝者によって書かれる」と述べ、ほかのメンバーはバンドの歴史をくりかえし語っていくうちに、ジョーンズがすべてのはじまりだったということを忘れがちになっていった、と断じている。[*12]

さて、ウォーリンの語ったジョーンズの死やそれにまつわる噂をマスコミの語り口と比べてみよう。そこには大きな違いがある。一九六九年の『ローリング・ストーン』誌に掲載されたジョーンズの死亡記事を引用してみたい。「ストーンズがグループとして歌ったこと、ジャガーやリチャード（原文ママ）が書いたことを、ジョーンズはそのまま実行した。それも公衆の面前でやってみせ、そして逮捕されるという、いかにもなやりかただった。初期には子供の認知訴訟もあったし薬物所持での逮捕もあった。ピンクのスーツに黄緑スーツ、黄色いおかっぱアタマに薄気味悪い笑み、赤と黄色のストライプだって身にまとい……」[*13]

この引用からはいくつかのことが発見できるが、最も目を引くのは、「ドラッグ所持での逮捕」や「認知訴訟」といったコトバが、スーツだとか、髪や笑みのすばらしさだとか、高潔なる不朽の人間性などと同じ調子、同じ重さ（もしくは軽さ）で並べて語られていることだろう。私にしてみれば、これこそ典型的な27クラブのメンタリティだ。こういう物言いはときとして、神話に人の心を蝕む力をあたえる。愛している人間が自壊に走ったら、たとえそれが遠くからの愛情だったとしても、気にかけるのが当然だろう。なのに、神話が人の心を蝕んだその瞬間、自壊行為は病や問題や心配の種ではなく、ファッション・テーマになってしまう。パートナーのリチャーズやジャガーも、クールな人々から「危険」なやつらだと賛美されてきた人間だ。ストーンズの伝説において、クールさと危険さというふたつの側面は、今でもしっかり結びついている。だが私に言わせれば、ジャガーやリチャーズがトシをとって現在まで生き延び、ジョーンズが若死にしてしまったのは、単に運の問題でしかない。おそらくは遺伝子か、もしくは単純な巡り合わせ。ブライアンはほかのふたりほどの運には恵まれなかった。体のつくり、遺伝、クスリの量、頻度——そういったもののせいで、仲間と同じライフスタイルを選びながら、よりドラッグの影響を受けやすかったのかもしれない。だが大衆にそんな区別などできなかった。だから彼の背中も同じように押した。ファンがこんなことを言っているのが聞こえるようじゃないか。「死んじまったのはそうだけど、でも、なんて反逆者なんだ。なんてクールなんだ」。私たちが認めようと認めまいと、富と名声を求める若者が頭のどこかで聞いているのは、そんな無責任な声だ。

ジャガーはストーンズ五十周年を記念したドキュメンタリー『クロスファイアー・ハリケーン』のインタビューでこんなことを口にしている。「つまりさ、若者に向けられた物事のいちばん前へ、光をあてられてぐいと押しだされるんだよ。成長することじゃない。ある意味成長しないことが大事なんだ。すると悪い行いをすることが大事になる。すると今度は自分でも、「悪い行いが大事なんだと思うようになる。そうやって、実際悪い行いをするようになるわけさ[14]」。同じインタビューでのリチャーズの発言はこうだ。「おかしな状況だよな……悪いことをしてるほうがいい、ってことなんだからさ[15]」。

湯水のようにドルを使えない人間（この場合はボンドだが）がそんな行動に出たら、それは、その人が人生をきちんと制御できておらず、なんらかの干渉が必要だという証になるだろう。しかしロック・スターだった場合は？　この手の行動は、スター性に花を添えるものだと見なされる。ジャガーは言う。「ドラッグってのは、マスコミや一般大衆にとっちゃ、すごく興味を惹かれるものだからね[16]」。またリチャーズはＬＳＤで捕まって牢屋に入れられたときのことをこんなふうに語っている。「あれで大衆と俺たちの関係が固まったんだ。ある意味、名誉の勲章をもらった、っていうかね。要するに俺は許可証をもらったわけさ。ならず者（ジェシ・ジェイムズ）の時代だったんだよ[17]」。

こういったことは、大いなる音楽の力や性的開放感や社会的情勢不安へこっそりまぎれこんでいく。そして、権力への健康的な反抗と自己破壊とが同列で語られるようになる。若者が年端もいかぬころから破滅の道をたどるとしたら、出発点になるのはこのふたつの混同だ。まるでファンや群衆が「自傷せよ」と言っているみたいじゃないか。「そうすれば、その分だけもっと愛してやるから」と。ジョーンズがまちがいをしでかしたのは周知の事実だ。世界に名をとどろかせる以前から、そういう人間だったのかもしれない。しかし、ストーンズが高みへと駆けのぼっていくかたわらで、彼が逆に深みへと堕ちていったのは、健康的であり、正しいことだったのだろうか。彼を急きたて、引きずりおろしたのは、まわりの文化やファン、ロック・ジャーナリズム、そして大衆の声ではなかったのか。陰険な笑みを浮かべながら、ぎりぎりのところでためらっている人々を追いこみ、彼らが何かをやろうとして弱みを見せたり、バカなことをやったり、貧困にあえいだりする瞬間をつかまえようとしている大衆。思い出してほしい。彼らはまだガキだった――十代後半からせいぜい二十代になったばかりだった。そんな若さで、片手にギター、片手に注射器を持ちさえすれば世界中の美女から求められ愛される存在になれるなんていう考えを吹きこまれたら、デタラメ言うなと撥ねつけることなどできただろうか。リチャーズは言った。「ほかのみんなが俺のために脚本を書いてくれてる感じだったよな。『みんなのやれないことをおまえがやってくれよ』みたいなさ。そりゃあ、そういう役割に身をまかせるのは簡単だよ。俺だけのために作られた席があって、そこに座りゃいいわけだからね[18]」。『ローリング・ストーン』誌の死亡記事はこんなふうに続く。「数年前は、『誰がデイヴィー・モーアを殺したか』とか『誰がノーマ・ジーンを殺したか』(訳注：前者がボブ・ディラン、後者がピート・シーガーの曲。デイヴィー・モーアは五〇年代から六〇年代にかけて活躍した黒人ボクサー。ノーマ・ジーンはマリリン・モンローの本名)

などということについて多くの曲が書かれ、多くの疑問が提示された。正解は、もちろん、『みんなが殺した』だ[19]」。たぶんそれが真実だろう。トリンカはジョーンズのことをこう述べている。「彼の失墜には複数の要因がからみあっている。いくつかは人格的欠点だろうが、そのほかは外的なものだ[20]」。

いちファンとしては、次が見てみたかった。長く幸せな人生を生きるジョーンズを見てみたかった。オリジナル曲という点ではジャガー&リチャーズほど多作ではなかったかもしれないが、これについても異論はある。トリンカが引用した、ストーンズの会計担当、スタン・ブラックボーンの言葉を紹介しよう。「ブライアンにはよく言ったもんだよ。『おまえは何をやってんだ。自分で書いた曲がいくつもあるのに、まるでミック・ジャガーがやったみたいにして、クレジットさせてるじゃないか。あいつらに何千ポンドもただで渡してるの、わかってるのか?』ってね。何度もくりかえして『白紙の小切手を渡してるのと同じなんだぞ』って言ってやったもんだよ[21]」。誰がどの曲をどれだけ書いたのかとか、それがいつだったのかとか、そんなことで重箱の隅をつついたりしなくても、仕事ぶりを見れば彼がありあまるポテンシャルを持っていたことは明らかだ。しかしついに、そのポテンシャルが実現されることはなかった。私たちが乱痴気自壊騒ぎの次のエピソードを心待ちにしていたからだ。ジョーンズは期待に応えて次々とエピソードを披露し、そしてそのせいで私たちは彼を失ってしまった。ストーンズのほかのメンバーを同じように失っても、おかしくなかったはずだ。思い出してほしい。ジミー・ペイジ（1944年生まれ）はヤードバーズを抜けてレッド・ツェッペリンを結成した。エリック・クラプトン（1945年生まれ）はクリームを抜け、今でもやりつづけている。もしチャンスがあったら、ブライアン・ジョーンズはどんなことをやってのけただろう。当時、彼がジョン・レノンとスーパー・グループを結成しようとしているという噂があった。どうして私たちは、めちゃくちゃなパーティーをやることがストーンズの重要な一部だなどと言って、自らをあざむくのだろう。トリンカはこう言った。「ブライアンは生きていくうえでまちがったことを散々やったけれど、でも大切なことではまちがわなかった[22]」。私の意見では、大切なこととは音楽——作品だ。

ミック・ジャガーは歌う。「俺が胸にナイフをつきたてて、ステージの上で自殺したら、おまえの青臭い欲望にはそれで充分かい？」。いいロックンロールの歌詞だ。しかしこれは、実際に感じたプレッシャーに対するジャガーなりの返答だろう。気づいていようといまいと、私たちはエンターテインメントを求めるあまり、こういった若者たちに多くの自傷行為を要求する。

一九六九年の『ローリング・ストーン』誌にはこんな記述がある。「ミック・ジャガーとキース・リチャーズがローリング・ストーンズの頭と体だとしたら、ブライアン・ジョーンズは明らかに魂だった」

＊1 『ザ・ローリング・ストーンズ・オフ・ザ・レコード：アウトレイジャス・オピニオンズ・アンド・アンリハースト・インタビューズ』マーク・ペイトレス（オムニバス・プレス　イギリス　2005）
＊2 『ブライアン・ジョーンズ：シンパシー・フォー・ザ・デビル』ローリング・ストーン・エディターズ　ローリング・ストーン誌　09/09/1969
＊3 「セレブリティ・デスス・ザット・チェンジド・ミュージック・ヒストリー：ゴーン・トゥー・スーン」デイヴィッド・ブラウン　RollingStone.com　08/14/2017
＊4 『ロックンロール・バビロン：50イヤーズ・オブ・セックス、ドラッグズ・アンド・ロックンロール』ギャリー・ハーマン（プットナム／プレクサス　アメリカ　1982/2017）
＊5 『クロスファイア・ハリケーン』監督ブレット・モーゲン　制作ミルクウッド・フィルムズ　112分
＊6 『ストーン・アローン：ザ・ストーリー・オブ・ア・ロックンロール・バンド』ビル・ワイマン（ダカーポ・プレス　アメリカ　1997）
＊7 『クロスファイア・ハリケーン』（モーゲン　2012）
＊8 同右
＊9 『クロスファイア・ハリケーン』（モーゲン　2012）
＊10 同右
＊11 『ザ・デイ・ザット・ローリング・ストーンズ・コファウンダー・ブライアン・ジョーンズ・ウォズ・ファウンド・デッド』コービン・リーフ　UltimateClassicRock.com　2015
＊12 『ブライアン・ジョーンズ：ザ・メイキング・オブ・ザ・ローリング・ストーンズ』ポール・トリンカ（プルーム　アメリカ　2015）
＊13 『死亡記事：ブライアン・ジョーンズ』グリール・マーカス　ローリング・ストーンズ誌　09/09/1969
＊14 『クロスファイア・ハリケーン』（モーゲン　2012）
＊15 同右
＊16 同右
＊17 同右
＊18 同右
＊19 『死亡記事』マーカス　ローリング・ストーン誌　1969
＊20 『イグノーブリー・フェイディング・アウェイ・フロム・ザ・ローリング・ストーンズ：ブライアン・ジョーンズ：ザ・メイキング・オブ・ザ・ローリング・ストーンズ：ア・バイオグラフィー』ラリー・ローター　ニューヨーク・タイムズ紙　11／192014』
＊21 同右
＊22 同右

†

JIMI HENDRIX

ジミ・ヘンドリックス

1942–1970

「お世辞を頼りに生きてるわけじゃないんでね……そんなもの、どっちかってと邪魔になるくらいでさ。すごくたくさんのアーティストとかミュージシャンがいろんなお世辞を聞いて『ワオ、俺ってそんなにすげえんだ』なんて言ってるけどね。そうやってやつら、満足して、太って、わけがわかんなくなっちまうわけさ。自分の持ってるホントの才能ってやつを忘れちまうんだよ」

——ジミ・ヘンドリックス

ジミ・ヘンドリックスを耳にしたのは十四歳くらいのときだったと記憶している。音楽に大いなる興味を持ちはじめたころだったが、まだ若すぎたせいでクラブへ行って実際にアーティストを見たりすることはできなかった。私の「ビートルマニア」が花開きはじめたころ。その思いは今でも生きつづけている。

やがて『メロディ・メイカー』『ニュー・ミュージカル・エクスプレス』といった雑誌を読むようになると、あることに気づかされた。どの雑誌もひとりの新人ギタリストを絶賛している、ということだ。そのギタリストは歯で弾いたりするらしかった——今ではいささか古くさくなってしまったが、当時はかなり派手なテクニックだった。

私はそのころアニマルズのファンだった。そして、アニマルズのベース・プレイヤーだったチャズ・チャンドラー(1938-1996)がヘンドリックスのマネージャーになり、ファースト・アルバムを録音させるために彼をロンドンへ呼んだことを知った。驚かされたのは、私にしてみれば「英国の王族」と呼びたくなるようなヤツらが何人も、まだピカピカの新人だったヘンドリックスを崇め、この現象に賛辞を惜しまなかったことだ。そのリストにホンモノの女王様が含まれていたわけではないが、メンツはまさに錚々(そうそう)たるものだった。ビートルズやクラプトンが、共演者としてステージに立つのではなく、観客としてあんぐり口をあけながらヘンドリックスを観た。ヘンドリックスは、何かがちがっていた。

事情通を気どる人間ならみんなそうだろうが、私もただのファンではなかった。彼のステージ・マナーや、ステージ上のペルソナを研究した。あまり知られてはいないことだが、私がベロベロ舌を出すのは、エア・ギターにクンニリングスを施すヘンドリックス一流のパフォーマンスを見てヒントを得たからだ、なんてことがあったかもしれない。

ジョニー・アラン・ヘンドリックスはシアトルの子だった。だが、同じ27クラブのメンバーであるカート・コベインがホームタウンのチャンピオンとしてグランジ・シーンを牛耳るのを目撃するほどには長生きできなかった。シアトルにいないときや、父と母がさまざまな理由で夫婦ゲンカを始めたときは（あまりにケンカが激しいせいで、幼いヘンドリックスがクローゼットに隠れなければならないこともあった）、チェロキーの血を引く祖母が暮らすヴァンクーヴァーの居留地で過ごした。弟のリオンとは近しい関係を保とうとしたのだが、リオンは里子へ出されたり戻ってきたりしていた。また、ほかの三人の子供たちも生まれて間もないころ里子へ出されたままだった。母のルシールは若くしてヘンドリックスを生んだ。両親がついに離婚したとき、彼はまだ九歳だった。

ほどなく母親は三十三歳で天に召された（ヘンドリックスは十歳）。肝硬変に誘発された脾静脈破裂だった。[*1]

本書リストの多くのケースと同じように、ヘンドリックスの父親もまた厳格で宗教的な男だった。息子がしゃべれるようになった瞬間から、沈黙と尊敬を要求した。若きヘンドリックスが物静かで目立たない少年になったのは、そんな高圧的な存在のせいだ。この父親は、ヘンドリックスの母親が亡くなったとき、幼い彼を葬儀に行かせようともせず、かわりに、彼と弟にむりやりシーグラムのセヴン・クラウン・ウィスキーを飲ませると、「男はこうやって悲しみと向き合うんだ」とのたまったという。[*2]

厳しいしつけと貧困のなかで身についた物静かな性格は、のちに彼が声と楽器で作りあげた爆発的かつ開放的なノイズとはあまりに対照的だ。

先達ロバート・ジョンソンのように、ヘンドリックスも幼いころからブルースの虜(とりこ)だった。大好きだったのはマディ・ウォーターズ、ハウリン・ウルフ、チャック・ベリー、バディ・ホリー。多くの人は彼が黒人であることに注目するが、ヘンドリックスははじめのころ、ただギターのサウンドに集中していただけだ。「肌の色は全然関係ない。エルヴィスを見てみろよ。ブルースが歌えるってのに、白人なわけだろ。いつも言ってるんだけど『最高のやつが勝てばいい。そいつが黒だろうと白だろうと紫だろうと』ってことなんだよ」[*3]。

学校に通っていたころは、いつも箒を持ってギターを弾くまねをしていた。「エア・ギター」なんていう言葉が流行する前にこんなことをやっていたのだから、実に驚きだ。[*4]のちに近所のガレージで弦が一本しかないウクレレを見つけると、一音一音さぐるようにしてエルヴィスの曲を弾こうとした。

自分では気づいていなかっただろうが、ジミは偉大なブルース・ギタリストの足跡を追っていたわけだ。エルモア・ジェイムズ、B・B・キングといった人々は子供のころ、「ワン・ストランド・オン・ザ・ウォール」と呼ばれるものを弾いた。箒を束ねる針金を一本はずして弦代わりにし、それを石などの硬いもので伸ばして壁やバック・ポーチに張り、瓶のネックの部分をスライド・バーにして針金をはじくと、かぎられた音域ではあるが音を出すことができた。[*5]

最初のギターは、父親が家族ぐるみでつきあっていた友人から五ドルで買ってきたアコースティックだった。右利き用に張られた弦の順番を逆にした、はじめての瞬間だ。以来それが彼のトレードマークになった。最初のときそんなことをしたのは、単に、左利き用のギターが高価で品薄だったからだ――友人が父親をからかって、ほんとうに金を出して息子に楽器を買ってやる気はあるのかと背中を押してやらなければならないような経済状態だった。[*6]

ジミは夜も昼もギターを放そうとしなかった。イジメっ子からとりあげられようとしたときなど、愛する楽器をとられるくらいなら怪我をしたほうがマシだと、黙って殴られたくらいだ。[*7] 彼はマディ・ウォーターズをはじめとするヒーローのプレイ・スタイルを真似しながら、独学で上達していった。

別に成績が悪かったわけではないのに、学校はさっさとやめてしまった。最初のころヘンドリックスが夢見ていたのは、俳優か画家になることだ。暇なときにはスケッチや絵を描き、SF系の雑誌や本を読んだ（漫画の『フラッシュ・トンプソン』が大好きだったらしい）。学校をドロップアウトしたあとは父親のやっていた造園の仕事を手伝っていたが、生活は苦しかった。

成人に達すると、志願して落下傘兵になり、ケンタッキー州フォート・キャンベルの第一〇一空挺師団に配属された。音楽の仕事についたあと中断されないよう、兵役を「さっさと終わらせて」[*8] しまいたかったのだという。理想的な兵士とはとても言えなかった。本人も上官たちも、軍隊が彼のいるべき場所でないことはわかっていた。父親宛ての手紙では、「スクリーミング・イーグル」の袖章をつけることには大きなプライドを感じるし、父親だけでなく家族全員に誇りに思ってもらいたいと書いてはいるが、やはり除隊するチャンスを待ちかねていたというのが本音だったらしい。[*9] 訓練中にスカイフックで宙づりになって足首を負傷した（真実ならば、だが）という理由から十三か月で名誉除隊となり、ヘンドリックスの軍隊生活は早期終了した。

その後ナッシュヴィルに行き、ギタリストとして生きる決意をした。訓練の怪我から回復中だったこともあって、貧しくみすぼらしい暮らしだった。まわりで人種暴動が起きたり、レストランで食事を拒まれたりした。生きるために盗みを働いたこともあったし、いろんな女性に生活の面倒を見てもらったこともあった。「街にいると腹が減って死にそうだったよ。女の子たちが助けてくれたんだ。女の子たちがいちばんの味方だったね[*10]」。

クラブ、レストラン、街角。場所があればどこでもやった。一度などクラークスヴィルのバーで自分でもあきれるくらい気前よくおごりまくり、後年の暴飲を思わせるほどしこたま飲んで、持ち金の四百ドルをほとんどはたいたこともあった。「ジャズのジョイントに行って一杯飲んだ。その店が気に入って長居したんだ。他人からは、おまえはヒトが好すぎてバカみたいになることがあるな、って言われるんだけどさ。とにかくその日俺は、ホントにおごりたい気持ちだったんだな。頼まれれば誰にでも札ビラを切ったと思うよ。店を出たとき残ってたのは十六ドルだったね[*11]」

やがてふたりの友人とバンドを組み、南部をまわる小さなツアーに何度か参加した。南部の黒人ミュージシャンにとって、ショウマンシップは単なる商業手段ではなかった――それは生存戦略だった。ヘンドリックスが現実的な意味でも比喩的な意味でも「歯にモノを言わせた」のは、ピリピリした雰囲気になりがちな、そういう南部のショウでだった。「歯でギターを弾くことを思いついたのは、テネシーの町だった。あそこじゃ、歯で弾かないと撃たれちまうんだよ。あのへんのやつらを楽しませるのって、ほんとに大変でさ。ステージのあちこちに折れた歯がゴロゴロしてたね[*12]」

ブレイクの兆しが見えたのは、若きヘンドリックスがサム・クック（1931－1964）やソロモン・バーク（1940－2010）といった超大物シンガーをフィーチャーしたソウル・ショウのバックバンドに職を得て、中西部をツアーしたときだった。その後アポロ劇場のアマチュア・ナイトに出場して優勝したのも追い風となった（賞金は二十五ドル）。アイズリー・ブラザーズのバックでもギターを弾きはじめた。そこをやめたあとは、かの有名なリトル・リチャード（1932－2020）ともいっしょにやった[*13]。当時の写真や映像のヘンドリックスは、ほとんど目立たないバックミュージシャンとしてプレイしている。後年トレードマークとなった、あのけたたましくてカラフルな仁王立ちフロントマンとしてのカリスマ姿を見慣れた人なら、誰だって思わず目を引かれるはずだ。しかしそんな慎ましやかな日々を送っていても、ヘンドリックスが尊敬していた大物たちは彼のポテンシャルを嗅ぎつけたらしく、新たな地平へじわじわ引きつけようとしていた。当時のヘンドリックスはくりかえしの毎日に退屈していた。全員同じ服ばかり着せられることにも、他人の曲を演奏しているせいで思いついたプレイをやらせてもらえないことにも、うんざりだった。前に出たかった。どんな未来が待ち受けているのか、本人にさえ予測できなかった。[14]

ソロでやるという音楽的野望に向けて着々と前進し、ついに、ウィルソン・ピケット（1941－2006）、B・B・キング（1925－2015）、アイク&ティナ・ターナーといった人々のセッション・プレイヤーとして注目されるようになった。[15] そのあいだもニューヨークでは、別のオリジナル・バンドでギグをやりつづけた。

活動の初期における大きな転機は、チャンドラーと出会ったことだ。一九六六年、チャンドラーはヘンドリックスがグリニッチ・ヴィレッジでおこなったギグを見て、ブリティッシュ・インヴェイジョンのグラウンド・ゼロであるロンドンへ連れていった。ヘンドリックスが本来持っていた、ブルース&ロックンロール・イノヴェイターとしての才能が花開いた街。チャンドラーは、ジミにとって何度目かとなるバンド、ジミ・ヘンドリックス・エクスペリエンスを結成する手助けもした。ヘンドリックスがはじめてスタジオで歌を歌ったのは『ヘイ・ジョー』だ。先見の明のあったチャンドラーは、歌うことを真剣に考えろとヘンドリックスを励ました。

ジミ・ヘンドリックス・エクスペリエンスのデビュー・アルバム『アー・ユー・エクスペリエンスト』はダブルプラチナに輝くヒットとなった。大部分の曲はスタジオ・セッションから生まれたものだ。夢を見ているような歌詞のヒントになったのは、本人によれば、子供のころ読んだSF小説だという（『パープル・ヘイズ』というフレーズは、SF雑誌で見た「紫の殺人光線（パープル・デス・レイ）」に由来している）。目指したのは、神話的で、曖昧で、多様な解釈のできる歌詞だった。

エクスペリエンスはポール・マッカートニー（1942年生まれ）の勧めもあって（彼もまた噂を聞きつけた多くの人間のひとりだったし、その噂はヘンドリックスが実際に母国の岸辺へ戻るずっと以前からアメリカを賑わせていた）モンタレー・ポップ・フェスティヴァルに出演し、やはりスターになりつつあったジャニス・ジョプリンと同じステージを踏んだ。ブライアン・ジョーンズが自らマイクをとり、アメリカの大衆にはじめてヘンドリックスを紹介してくれた。こんなMCだった。「いい友達であり、君らの同国人。最高にビッグなパフォーマー。これまで聞いたなかで、最高にエキサイティングなサウンド[*16]」

同じく有名な話だが、ヘンドリックスはギターに火をつけ、炎を手であおりながらその日のステージを終えた[*17]。「何もかも完璧だった。だから生け贄を捧げるつもりで、最後にギターを壊すことにしたんだ。生け贄にするのは、愛するものじゃないか。俺はギターを愛してるからさ[*18]」。何人かの伝記作家によれば、ヘンドリックスがはじめてLSDを体験したのは、このフェスティヴァルだったという[*19]。エクスペリエンスはその後二年間、精力的にツアーを続けた。最初はモンキーズとのツアーだったが、これは短期間で終わっている。会場にやってきた十代の幼い少女たちはしばしば父兄同伴だったが、ついてきた親どもが、ヘンドリックスの腰の回しかたやむきだしの官能性を猥褻だと非難したからだ。

エクスペリエンスはその後二枚のアルバムを発表し、どちらも成功させた。ヘンドリックスの台頭は、見過ごせないものになりつつあった。

登りつめていくときの道のりについて言えば、ヘンドリックスと私では、いささかの相違がある。彼は驚くほど謙虚なままだった。「俺は自分をソングライターだとは思っちゃいない」。創作のプロセスについて、彼はそう語った。「俺がよくやってたのは、マッチ箱とかナプキンとか、いろんなところにいろんな言葉を書きちらしておくことだったね。そしたら音楽が、それまでに書いといた言葉を思い出させてくれるんだよ」――だが、それこそソングライティングだと言ってやる人間はひとりもいなかったらしい。あたりまえのことなのに、だ。そしてこれもあたりまえのことだが、そうやって彼のなかから生まれた曲は、以前書かれたどんな曲にも負けない、燦然(さんぜん)と輝く名作となった。なのにヘンドリックスは、自分の評判など信じていなかった――少なくとも完全には。「今のシーンで最高のギタリストはおまえだ、なんて言われると、後ろめたい気持ちになっちまうんだよな。いいとか悪いとか、そういうのは俺にはどうでもいいんだ。大切なのは、感じるか感じないかなんだよ[★20]」

私の息子も娘も、ブルースのような古典がとくに大好きだ。彼らが歌って楽しんでいるところを見つけると、私はよく、即興でふたりに割りこんでいく。タイトルは「ベヴァリー・ヒルズ・ブルース」。裕福で（本人たちが言うように）「ラッキー」な身分にありながらブルースを歌っていることをからかう曲だ。しかしヘンドリックスは、豊かで幸運な人間にもブルースは歌えるという考えを持っていた。テレビでそのことを聞かれたとき、こう答えている。「ミュージシャン、とくに若いやつらは、大金をもうけるチャンスがやってくると『こりゃ最高だ』なんて言っちまう。自分を見失って、音楽そのものを忘れちまうんだ。自分の才能さえ忘れてね。自分の半分を忘れるわけだよ。でも、だからこそ、たっぷりブルースを歌えるわけさ。金を稼げば稼ぐほどブルースが歌える、なんてこともあると思うね[★21]」言うまでもなくこれは、私とは正反対の考えだろう。しかしヘンドリックスの見かたに従えば、物質主義のなかで自分を見失うことは、貧困や飢えや失恋同様、ブルースを歌うのに必要な悲しきインスピレーションになりうるわけだ。それに——ブルースに関してジミ・ヘンドリックスに反論できるヤツなどいるだろうか？

ヘンドリックスがもっと実験的な音楽に挑戦していきたいと言いはじめ、それに伴ってチャズ・チャンドラーとふたりめのマネージャー、マイケル・ジェフリー（1933-1973）の関係が緊張するなか、エクスペリエンスは解散する。ヘンドリックスの実験素材はジャズやバラードだった。「ピエロでいるのはもう嫌なんだよ。ロックンロール・スターなんかじゃいたくないんだ[22]」と彼は言いはなっている。しかし同時に、大衆が欲していたのはロック・スターだった。またそのころ人種間の緊張が高まったせいで、ヘンドリックスはブラック・パワーの推進者たちからいろんなプレッシャーを受けた。人種問題についてもっと強いコメントを出せ。ベネフィット・コンサートをやれ。「アメリカの黒人暴動はクレイジーだよ」と彼は言った。「差別もクレイジーだ。そういう問題がなくなればいっしょにやっていけると思うんだけど、暴力のせいでまだゴタゴタしてるからね。俺は人種を前提に物事を考えたりしない。前提にするのは人間だよ。だからまったく当然のことだけど、家が焼かれるのは見たくないね[23]」大義の倫理的検証は置いておくとしても、暴力と大きな政情不安のせいでヘンドリックスは落ち着かなくなり、ふたつの方向へ引き裂かれていくことになった。「気持ちはうれしいけどさ、侵略とか暴力には賛成できないね。俺は今やってることをやっていきたいだけなんだよ。人種とか政治の問題にまきこまれずにね[24]」

しかし現実は変わらなかった。みんながジミとかかわりたがっていた。

エクスペリエンスは一九六九年に終わったが、ヘンドリックスという存在はますますデカくなっていった。この年、彼はウッドストックという、かの悪名高き音楽フェスティヴァルに出た。アルバム『バンド・オブ・ジプシーズ』への第一歩を踏み出そうとした場所だ（訳

注：『バンド・オブ・ジプシーズ』が録音されたライヴがおこなわれたのは一九六九年大晦日から翌年元旦のフィルモア・イースト。ただしジミはウッドストックに出演したバンドを「バンド・オブ・ジプシーズ」といって聴衆に紹介した）。異常なくらいのカリスマと存在感を持ったライヴ・パフォーマー。そんなイメージが永遠に固まったのはこのコンサートのおかげだ。ここで披露されたのが、（当時若干の議論を醸した）アメリカ国歌のギター・ソロ・ヴァージョンだった。この演奏は若いファンの賞賛を集め、伝統主義者の怒りを買った。だがヘンドリックスはいつだって、批判にも賛美にも動じようとしなかった。

新しいバンドを作ったあとは、ベトナム戦争（1955－1975）をめぐる政情不安のせいもあってか、以前のスタンスに反してあけすけな言葉で当時の政治を語るようになった。

愛のことだったらいつだって考えられる。でも今俺たちは、この世界に起きてる抗議とか議論の全部に答えをあたえようとしてるんだ。みんなに俺たちを聞いてほしいと思ってるよ。そうすれば彼らに「さあ、ホワイトハウスの扉を打ち破ろうぜ」って言えるからね。みんな、それぞれの心に戦争を抱えてるんだ。それが外に出てきて、他人と戦争になるわけさ。何もかも、どれだけ絶望的なことになってるかわかるだろ。若いやつらがあっちへ行って、アタマをぶち割られようとしてるんだからね。『アー・ユー・エクスペリエンスト』は二年前の俺のアタマのなかにあったもんだ。今はちがうことを考えてるんだよ。[25]
そのとき頭のなかにあったのは、新しいラインアップと決意表明を持った新しいアルバムの構想だった。だが本人は結局、そのアルバムのリリースを目にすることができなかった。ヘンドリックスは翌年、バルビツール系の睡眠薬とアルコールを摂取したあとに眠ってしまい、自らの嘔吐物で窒息するという無残な最期を遂げた。[26]
「二十八まで生きられるかどうか、わからないな」とヘンドリックスは語った。「ここ三年でとんでもなくすばらしいことがたくさん起きたからね。もうこの世界に思い残すことなんてないんだよ[27]」
ヘンドリックスの死は唐突に思えた。みんなが鞭で打たれたような痛みを覚えた。しかし、ドラッグに関連した死がほとんどそうであるように、いったいどうしてそんなことに、などと考えるのはその死を外から眺めている人間だけだ。
どんな記録を読んでも、個人的な生活の場でのヘンドリックスは、どこまでもやさしい男だった。彼自身こんな言葉を残している。「誰も傷つけないものだったら、俺はなんでもディグするね。カーリー・ヘアにしてたり、ベルやビーズを身につけてるからって、それだけで愛にあふれた人間になれるわけじゃない。花を投げるだけじゃなくて、信じなくちゃダメなんだよ[*28]」。だがまわりの証言によれば、普段は過剰なほどの愛にあふれ、気づかいのあるやさしい男が、アルコールの影響下ではまったく別人に豹変したという。友人であり高名なロック・フォトグラファーでもあったハービー・ワージントン（1944－2013）は言う。「あれだけ愛のある男があれだけ暴力的になるなんて、人は思わないだろうね。あいつは単に、酒が飲めなかったんだよ。ほんとうにクソ野郎になっちまったからね[*29]」。ジャーナリストのシャロン・ローレンスによればヘンドリックスは「強い酒には飲まれてしまう、と認めていた。そうなると、ためこんでいた怒りが表に出てきて、ほかではほとんど見せない破壊的なくらいの凶暴さを見せてしまった[*30]」。

ヘンドリックスのジキル／ハイド性と酒との関係については、数多くの逸話がある。彼はひとつの文化の高波のてっぺんにいた。そこではドラッグが文化やメッセージの中心だった。どのファンも彼がその中心にいることを望んでいたし、ヒーローたちも駆け出しだった彼にドラッグをあたえながらスターに育てあげた。成功の頂にいたジミほど「ドラッグ・カルチャーと密接な関係を持っていたスターは、ほかにほとんどいなかった[*31]」。そうして時代はめぐり、ドラッグ・カルチャーの影響を受けた子供たちが、次の世代の子供たちに影響をあたえていったわけだ。

ヘンドリックスの創造精神にはむきだしのポテンシャルがあふれていた。それを薬物のおかげだと言っておとしめるのはアンフェアだし、正確ではないと思う。ヘンドリックスの天才性が薬物によって触発されたものだという考えは今でも蔓延しているし、友人たちもやはり、酔っぱらったときの彼はほかでは見せないような、攻撃的で、らしくない行動に出たと発言している。しかし世界が恋に落ちたヘンドリックスは愛にとりつかれた心やさしきクリエーターでありミュージシャンなのであって、誰の意見を聞いても、アルコールの影響下で豹変した男なんかではない。精神作用のあるその他のドラッグに関しても、論より証拠。当時はみんなヘンドリックスと同じドラッグをやっていたというのに、ヘンドリックスと同じサウンドを出せるヤツなんて誰ひとりいなかったではないか。誰も彼に近づくことさえできなかったし、あんなふうにギターを弾けなかった。ここでの変数xはドラッグではない。ヘンドリックス本人だ。

それでもヘンドリックスは、ヒッピー文化やそれに伴うドラッグ使用に関して独自の哲学を持っていた。その言い分は私よりずっと全方位的だ（評判に反して中立的でもある）。紹介しよう。

フラワー・シーンってのは、何から何までドラッグ感覚ってやつと結びつけられてきたけどさ。すごく人を助けてきたのは「みんなを愛そう」っていう考えかただよ。もちろん、そういったヒッピー連中がパクられることだってあるだろうね。だけど、ヒッピーが銀行強盗をやるなんて話は聞かないじゃないか。ドラッグをやったとしても、それはプライベートなことだよ。誰だって考えたいことを考えて、やりたいことをやっていいはずなんだ。他人を傷つけないかぎりね。音楽ってのは安全なタイプのハイだ。そういう形なら、ほかよりいいんじゃないかな。ハイってのはもともとそういうところから来てるんだしさ。[*32]

ここまで来れば、私のごとき頑迷なアンチ・ドラッグ論者でも「参った」と言わざるを得ないだろう。この文脈にかぎれば、ヘンドリックスは正しい。少なくとも、一般に思い描かれてきたヒッピー・ムーヴメントにおいて、ドラッグ使用と暴力は最大限にかけはなれたものだったはずだ。実際に薬物が蔓延した場所では通用しない考えかもしれない。しかし、保守的で自由意志論者(リバタリアン)的な私の持論とヘンドリックスの直感は、ここで通底しているのだと思う——若かったころの私には存在すら信じることのできなかった一致点。誰も傷つかないなら、倫理的には、彼の言い分は有効だ。ウッドストック後の記者会見でドラッグ使用に関して質問されたヘンドリックスはこう述べている。「音楽に入りこむためにはあれをやらなきゃいけないとか、これをやらなきゃいけないとか、そういうことを信じてるやつらがいるよな。どうだろうね。俺には意見なんてないよ。人には人のやりかたがある。言えるのはそれだけさ★33」

ヘンドリックスが世を去る一年前、一九六九年の『ローリング・ストーン』誌に掲載された記事は示唆に富んでいる。ジャーナリストのシーラ・ウェラーは、ヘンドリックスと大衆との毀誉褒貶(きよほうへん)について(あながち偶然とは思えない形で、ほかのふたりの「クラブ・メンバー」にもふれながら)こう分析した。

> ジミ・ヘンドリックスに関しては――ジャニス・ジョプリンやミック・ジャガーやジム・モリソンもそうだが――とくにありあまるほどの神話が存在する。そして残念ながら、神話を覆すことはできない――それが根拠のないものであったり、パフォーマーが行いを改めたあとであっても同じことだ。数週間前の『ライフ』誌はジミのことを「ロックの半神人(デミゴッド)」だと書き、カラー数ページを割いて万華鏡のようなライティングをあてた彼の顔写真を掲載した。(中略)ロック・メディアの楽屋話での彼は、グルーピーの種馬王だ。オーディエンスに失礼な態度をとり、ライターを待たせ、フォトグラファーを手こずらせ、話をしようともしない。そんな噂もあちこちで聞く。★34

だがウェラーは「ジミの本質――彼の音楽の行きつく先――は、そういったものとはまったくちがう[35]」と断言している。まるで新たなページをめくろうとしているかのように、ヘンドリックスは高らかに述べた。「ピエロでいるのはもう嫌なんだよ。ロックンロール・スターなんかじゃいたくないいんだ[36]」彼は弱さを見せることを恐れない正直な人間になろうとしていた。ウェラーは彼のことを「本質的には脆そうな表情や肉体」を持った「少年ぽくて、はかなげな」男であると書き、「自分の本意が伝わっていないのではないかという根拠なき恐れを抱いて、逆に質問をぶつけてくる[37]」人間だと述べた。

何より予言的なのは、ウェラーが次のような思いをめぐらせていることだ。「私は考える。今から五年ののち、彼はどんなところにいて、何をしているのだろう」——不幸なことに、私たちにはわからなかった。それより先にドラッグが彼を連れ去ってしまったからだ。

ドラッグ・カルチャー。ヒッピー・ムーヴメントの政治力学。どんな立場をとったところで、ヘンドリックスの音楽がすべてを物語っている。今日でも彼がロックンロール・ヒエラルキーのてっぺんにいることは、疑いようのない事実だ——彼だったらそんな事実など、「邪魔なお世辞だね」と魅力たっぷりに切って捨てただろうが。

*1 『デッド・ゴッズ：ザ・27クラブ』クリストファー・サレヴィッツ（クアーカス・パブリッシング　イギリス　2015）
*2 『ビカミング・ジミ・ヘンドリックス：フロム・サザン・クロスローズ・トゥ・サイケデリック・ロンドン、ジ・アントールド・ストーリー・オブ・ア・ミュージカル・ジニアス』スティーヴン・ロビー＆ブラッド・シュライバー（ダ・カーポ　アメリカ　2010）
*3 『ジミ・ヘンドリックス：ザ・ヴードゥー・チャイルド』監督ボブ・スミアトン　制作エクスペリエンス・ヘンドリックスLLC　91分（イギリス　2010）
*4 『ビカミング・ジミ・ヘンドリックス』スティーヴン・ロビー＆ブラッド・シュライバー（2010）
*5 同右
*6 同右
*7 同右
*8 『ジミ・ヘンドリックス：ヴードゥー・チャイルド』スミアトン（2010）
*9 同右
*10 同右
*11 『ビカミング・ジミ・ヘンドリックス』S・ロビー＆B・シュライバー（2010）
*12 『ジミ・ヘンドリックス：ヴードゥー・チャイルド』スミアトン（2010）
*13 同右
*14 同右
*15 「ジミ・ヘンドリックス」Biography.com 05/30/2018アクセス
*16 『ジミ・ヘンドリックス：ヴードゥー・チャイルド』スミアトン（2010）
*17 「ジミ・ヘンドリックス・バイオ」ローリング・ストーン・エディターズ　RollingStone.com　05/30/2018アクセス
*18 『ジミ・ヘンドリックス：ヴードゥー・チャイルド』スミアトン（2010）
*19 『ビカミング・ジミ・ヘンドリックス』S・ロビー＆B・シュライバー（2010）『ジミ・ヘンドリックス：エレクトリック・ジプシー』ハリー・シャピーロ＆シーザー・グレベーク（セント・マーティンズ・グリフィン　イギリス　1995）
*20 『ジミ・ヘンドリックス：ヴードゥー・チャイルド』スミアトン（2010）
*21 同右
*22 同右
*23 同右
*24 同右
*25 同右
*26 『ザ・ファイナル・デイズ・オブ・ジミ・ヘンドリックス』トニー・ブラウン（ローガン・ハウス　アイルランド　1997）
*27 『ジミ・ヘンドリックス：ヴードゥー・チャイルド』スミアト（2010）
*28 同右
*29 『ルームフル・オブ・ミラーズ：ア・バイオグラフィー・オブ・ジミ・ヘンドリックス』チャールズ・R・クロス（ハイペリオン　アメリカ　2005）
*30 『ジミ・ヘンドリックス：エレクトリック・ジプシー』シャピーロ＆グレベーク（1995）
*31 『ルームフル・オブ・ミラーズ』クロス（2005）
*32 『ジミ・ヘンドリックス：ヴードゥー・チャイルド』スミアトン（2010）
*33 同右
*34 『ジミ・ヘンドリックス：アイ・ドント・ウォント・トゥ・ビー・ア・クラウン・エニーモア』シーラ・ウェラー『ローリング・ストーン』誌　09/15/1969
*35 同右
*36 同右
*37 同右

†

JANIS JOPLIN

ジャニス・ジョプリン

1943–1970

「ステージにあがってプレイするってのは、心のなかに持ってるものを何もかも自分で感じとる、ってことなんだよね。でも、心のなかにあるそういうものって、どっかにうっちゃっておきたくなる。お上品なおしゃべりには似合わないようなことだからね。あたしが歌うことができる理由は、それだけだな。だってまず眼を閉じて、そういうもんが流れだしてくるようにするんだから」

――ジャニス・ジョプリン[*1]

ジャニス・ジョプリンの物語は、このグループの多くの人々と同じカタチで始まる——ほかとはちょっとだけちがった子供。幼いころから持っていたブルースへの憧れ。十代の彼女はどこか孤独な少女だった——逃げ場になってくれたのは、ベッシー・スミス（1894－1937）、オーティス・レディング（1941－1967）、レッド・ベリー（1888－1949）といったブルース・アーティスト、[2] フォーク・ミュージック、詩、絵画。[3]

「あの子は、ほかの人たちみたいになるやりかたがわからなかったの。ありがたいことにね」[4] 子供時代の友人だったカーリーン・ベネットは、エイミー・バーグの作ったドキュメンタリー『ジャニス：リトル・ガール・ブルー』でそう語っている（これはジョプリンのドキュメンタリーの決定版とも言える作品だろう。ここまで深く切りこんでいるのはこの作品だけだし、一次ソースの使いかたもすばらしい。ジョプリンが出した手紙を、家族の許可を得て使いながら、彼女自身の言葉で物語を浮き彫りにしている）[5]。

ジョプリンは教会の聖歌隊で歌っていたのだが、普通の歌いかたや伝統的な歌いかたをしなかったせいでそこを追い出されてしまう。自分なりの歌を歌いたかったわけだ。

持っていたスクラップブックにスケッチもした。その多くは美しい女性をシルエットで描いたものだった。女性の顔に「この子はきれいな子」という文字を入れこんだスケッチもあった。彼女はなんとなく気づいていた。自分が雑誌に出てくるような典型的美女とも、いかにも女性らしいとされる標準的な体つきとも違っていること。彼女はほとんどあらゆる意味で、規格からもパターンからもはみだしていた。

「ジャニスは世間を騒がせたら自分に気づいてもらえるんだってことを見つけた最初の人間でした」と言うのは弟のマイケル・ジョプリンだ。「だから、ことあるごとに世間を騒がせようとしたんです。騒がせるのが好きだったんですよ」[*6]

育ったのはテキサス州ポート・アーサー。彼女自身の言葉を借りれば、つらく厳しく不寛容な南部文化のまっただなかにあった町だ。ジャニスは最初から目立つ子だった。高校時代はいじめられた思い出ばかり。町では政治的にも社会的にも、クー・クラックス・クランがさかんに活動し、国じゅうが人種分離法を論じていた。そんなとき彼女は、人種統合に賛成だと言って「世間を騒がせた」。

カウンターカルチャーに身を投じるための舞台は整った。彼女は自分が育った文化に文字どおり何から何まで対抗（カウンター）するような人間だった。

幼いころから天性のシンガーだった。聖歌隊を除名された理由がスキルの欠如でなかったのは明らかだろう。ただ、服従する意志が欠如していただけのこと。ブルースのレコードを借りてくると、オデッタ（1930-2008）などのソウルフルなシンガーの歌を完コピして友達を驚かせた。[*7]

長じてからは、オースティンやその周辺のクラブやバーで歌った。「偶然、自分の声がとんでもなくでっかいんだってことがわかったの。だからブルースを歌いはじめたわけ。だって、ずっと前からそういうのが好きだったから」と彼女は言った。「それに、ブルーグラスのバンドにもはいったんだ。オースティンでヒルビリー・ミュージックをやってると、ただでビールが飲めたからね[*8]」

高校時代のトラブルは、その後の人生にまで滲んでいった。はみだし者であり、一匹狼であり、単純にヒトと違っているという事実は、彼女にとって祝福であり同時に桎梏でもあった。違っていることが人生の破滅を呼び、救いともなった――誰にもマネできないあんな声、あんなパフォーマンスだったのだから、注目されるのは当然だ。しかしその視線がポジティブなものや愛にあふれたものである確証はどこにもなかった。注目はされても、求めている愛は得られないように思えた。このことはジャニスにとって、ある種残酷なアイロニーだったにちがいない。名声を得る前にもみんなが目を向けてくれた。しかし、みんなが愛してくれたわけではなかった。

当時彼女がいたブルーグラス・バンドのメンバー、パウエル・セント・ジョン（1940年生まれ）はこう語っている。

ジャニスはすぐ私たちの仲間になりました。で、みんなが口をあんぐりあけて驚くようになってね。それまでは彼女、ほんとうの意味ではフォークのコミュニティに受けいれられてなかったんです。子供だったころも、まわりから、からかわれたりイジメられたりしてたそうですよ。オースティンへやってきて私と知り合うころには、もう何度も何度も深く傷ついてました。大学時代、男子の社交クラブが毎年コンテストを開催してて、いちばんの醜男をノミネートすることになったんですが、そのとき、ジャニスの名前を挙げたヤツがいて、つられて同じことをしたヤツが何人も出たんです。彼女、打ちひしがれてましたよ。あんなに悲しい光景は見たことがなかった……そのときまでジャニスが泣くのは見たことがありませんでした。外見の印象的にはすごくタフな子だったんでね。でもあのときはほんとうに悲しそうだった。それだけ深く傷ついたんです。[*9]

驚くべき才能と永遠の仲間はずれ――このふたつの関係は本書リストのパターンだが、ジャニスの場合はとくにそれが顕著だった。彼女は「出る杭」だった。ゆえに叩かれた。ジェンダー、外見、あからさまなセクシュアリティ、ものの見かた、強烈な個性、伝統を打ち破る声の力、ファッション、反抗心。すべてが叩かれる理由だった。

彼女にとってテキサスを出ることは、古傷を癒やすために必要な逃げ道だった。カリフォルニアは、故郷では味わえない自由を象徴する場所に思えた。サンフランシスコに行けば、大きなコミュニティが諸手を挙げて人種隔離に反対する意見を歓迎してくれるはずだ。それだけでなく、大人数のグループといっしょに実際街を行進し、ニュースにとりあげられ、ひとり故郷でやっていたのと変わらぬ大声で、今度はみんなとプロテストできるはずだ。

ジャニスがサンフランシスコで同棲していた同性の恋人、ジェイ・ウィテカーは、南部で暮らしていたころ受けた傷が、より自分らしく生きられると思ってやってきたサンフランシスコという楽園でもついてまわったと述べている。「あの子は確かにブルースを感じてました。あんなふうになりたい、って思って、一所懸命に（ブルース・シンガーたちの）マネをして、痛みを感じてね。だからあんなにお酒を飲んだり、ドラッグをやったりした。だって、そういうことも含めて彼らみたいになりたかったから。いつだってあの子は、最高だね、って言ってくれる人を必要としてました。いつも心のなかに自分との軋轢（あつれき）を抱えて。絶えずね。不幸せだった。ほんとうに不幸せでした。でもステージの上だと、自分が価値のある人間だと感じることができたんだと思うんです——私だって人に何かをあたえられる人間なんだ、って[*10]」

これは、ジャニスがスピードなどのドラッグを体験しはじめたころの話だ。一時的な休息は得たものの、このままだと裏町のバーのカバー・バンドにとどまり、アンフェタミン中毒で終わってしまいそうだった。
新しい友人たちが彼女の健康状態を心配してお金を集め、家に帰る旅費を作ってくれた。彼らが知らなかったのは、どちらにせよ彼女のためにはならなかったということだ。家に帰れば、あの唾棄すべき保守主義。とどまれば、好き勝手に生きてジャンキーへと至る道。

故郷から当時のボーイフレンド（結婚寸前までいったのだが、彼の浮気が発覚したせいで別れた）に宛てた手紙で、ジャニスはこんな告白をしている。「わたしの人生にパターンみたいなものを見つけようとして、あることに思いあたりました。いつも勢いよく外へ出てって、それで、ボロボロになっちゃう、ってこと。オトコでも見つけて幸せになろうって思ってたんだけど、そうはしなかった。（中略）かわりに、覚醒剤フリークになっちゃった。クソみたいに最悪。ああ、ほんとに、幸せになりたい[*11]」。

そんなときひとりの友人がジャニスに、サンフランシスコを拠点にしているビッグ・ブラザー&ザ・ホールディング・カンパニーという新しいバンドがテキサスのすぐ近くでライヴをやると教えてくれた。おまけに、女性シンガーも探しているという。演奏を見に行ったジャニスは、その場で心を奪われた。両親には週末のあいだオースティンへ旅行すると嘘をつき、そのままサンフランシスコへ逃げ戻った。

ビッグ・ブラザーのドラマーだったデヴィッド・ゲッツ（1940年生まれ）は、ロックンロールの中心地サンフランシスコへ飛んで帰っても、ジャニスが昔から感じていた恐れや敗北感や拒絶感は消えなかった、と語る。家へ戻った理由は、明らかに、クリーンな体になって人生の新たなページをめくることだった。「彼女はいろんなことを心配してたよ。ドラッグをすごく怖がってた。『もうヤクを注射してる人なんて見たくない。そんなの耐えられないもん。だってそんなもの見たら、（自分が）すっかりダメになっちゃいそうだから』ってね[*12]」。

ビッグ・ブラザーのギタリスト、サム・アンドリュー（1941－2015）は、ジャニスの恐れにはそれなりの理由があったと回想している。彼女がはじめてサンフランシスコへやってきたときのことだ。「ジャニスはコーヒーハウスの仕事をやってたんだけど、そのとき、ほとんど死にかけたんだよ[*13]」。

それでも新しいバンドといっしょにやっていると、故郷――必死に逃げようとし、無視しようとし、そして最後は捨ててきたあの不幸せの泥沼（スワンプ）――には絶対になかったものが見つけられた。内なる自己疑念から逃れたいなら、逃げ場はいつも結局、歌うことでしかない――ジャニスが聴衆の歓声にあれほどの価値を見いだしたのが、その確たる証拠だ。彼女は手紙で両親にこう語っている。「もう戻れないと思います。これがほんとうなんだって思うし、わたしにとってのほんとうです。もう嘘をついてるつもりはありません[*14]」。

バンドは音楽的にも、シーンにおいても、カウンターカルチャー的な意味でもうまくハマっていき、ビート詩人やヒッピー、グレイトフル・デッドとの出会いやつきあいが始まった。ジョプリンは一時期、デッドのオリジナル・メンバーであるロン・〝ピッグペン〟・マッカーナン（1945−1973）と恋に落ちたようだ。ちなみに、悲しいことだがピッグペンも27クラブに属している。

ジョプリンはフリークを自称する人間といると、心からくつろぐことができた。「こういう人たちって、ドレスアップはしません」と彼女は、サンフランシスコの家のポーチで全員がポーズをとっている写真に言及しながら、家族に説明している。「みんないつも、こんな感じなの。だけど並べて見てみると、あたしってそこまでとんでもなくない、よね？」[15]

クラブのもうひとりのメンバー、ジミ・ヘンドリックスの場合とそっくり同じだが、ジョプリンに光があたったのはモンタレー・ポップ・フェスティヴァルだ。彼女はそこで、あの泣き叫ぶバンシーのような声とソウルフルなパフォーマンスで旋風を巻き起こした。注目されるのは当然だった——とくに当時の女性シンガーたちが、ジュディ・コリンズ（1939年生まれ）に代表されるソフトさだとか、女性らしくて穏やかなメロディを目指していたのだから。しかしジョプリンは違った。しわがれ声を隠そうともせず、デカく強く激しく歌った。ジョーン・バエズ（1941年生まれ）というより、ロバート・プラント（レッド・ツェッペリンのリード・シンガー、1948年生まれ）にずっと近い感じだ。そして、あふれ出るあのあからさまなセクシュアリティ（当時台頭しつつあったフェミニスト運動のメンバーには、さほどこころよく受けいれられなかったようだが[16]）。同じステージを踏んでいるどんな男性シンガーよりうまく、デカく、激しくシャウトすることができた。「楽屋でたったひとりの女[17]」でいることも多かった（この傾向は生涯続いた）。顔をくしゃくしゃにし、真っ赤に染めながら叫んだ。伝統的で繊細な女っぽさが求められていることなど、気にかけてもいない風情だった（くりかえして言えば、高校時代のジャニスはまさにこのことでからかわれたのだが、パフォーマーとしてはそれがユニークな武器になった。モンタレーの映像を見ると、観客が度肝を抜かれた表情を浮かべているのがわかるだろう）。みんなが言った。ジャニスはライヴで見なきゃ。あのパワフルな声が体から飛びだしてくるところを見なきゃ。モンタレーの会場にいたレコード・プロデューサーのクライヴ・デイヴィス（1932年生まれ）は、彼自身の言葉に従えば、ジャニスを目の当たりにして「慌てふためいた」という[18]。

フェスティヴァルではツー・ステージ演奏した。バンドは最初、ヒッピーへの信義と反権力主義を唱えてリリース契約にサインしようとせず、ジャニスはそのことにいらだった。「いつかスターになる[19]」と公言することに何の問題も感じていなかったからだ。高級車がほしかったし、成功したかった。物質主義を蛇蝎（だかつ）のごとく嫌うヒッピーたちから高ランクの地位にハメこまれていることなど、どうでもよかった。バンドは内輪もめを起こしたが、最終的にはジョプリンやフェスティヴァル主催者の言い分が通り、結果、史上最高に有名なコンサート映像が今に残されることとなった。

ステージでの彼女の存在感はみんなを魅了したが、そこにつきまとっていたのは薬物だった。ドラッグは否定しようもなく、文化の大きな一部になっていた。彼女はしばしば、ステージでバーボンをボトルからじかに飲んで観客から喝采を浴び、ギグが終わった直後にヘロインを打った。まわりでもみんな、同じ所業に及んでいた。

ビッグ・ブラザーは新しいマネージャー、新しいレーベルと契約を交わし、ほどなく『心のかけら』をリリースした。バンド（とくにジャニス）をスポットライトのもとに連れ出したのは、この曲だ。時を置かず、ジャニスは文化的にビッグ・ブラザーよりビッグな存在になった。すべての注目は彼女に――カリスマ、個性、そしてあの声に向けられた。若かったころ彼女をずっと拒絶していたコミュニティからもあたたかい声が寄せられるなか、レコードはたった数日でゴールドディスクになった。

どこにでもある話だが、ジャニスの個人的人気が沸騰すると、ほかのメンバーとの軋轢が増していった。『ジャニス・イズ・ザ・マジック』などというタイトルの記事は、もちろん、残りのメンバーが「マジック」でないことをほのめかすものだ。業界内部の人間にも外部の人間にも、成功をたぐりよせたXファクターがほかの誰でもなくジャニスであることは明らかだった（正直な話、それが真実だ）。
彼女はその後一年もしないうちに、無名であることから自分を救ってくれたバンドをやめた。すると突然ひとりになったせいで、自ら実力を証明しなければならないというとてつもないプレッシャーがのしかかってきた。そのあいだも、ドラッグは以前にも増して簡単に手にはいるようになった。ジョプリンははっきり気づいていた。自分が崖っぷちぎりぎりで踏ん張っていること。サム・アンドリューはこう回想する。「ジャニスがビッグ・ブラザーにいたころは、ピーターが全然ドラッグをやらなかったんで、俺たちもちょっとばかり抑えてたんだ。でもジャニスがコズミック・ブルースをやって、ピーター、つまり親父役の人間がいなくなっちまったんで、俺たち、ガンガンにドラッグをやるようになったわけさ、わかるだろ？　で、手に負えないことになっちまってね。あの年は友達がたくさん死んだよ。でもジャニスは言ってた。『あたしはそんなことにはならない。あたしの家は開拓民の血筋だもの。タフなの。そういう遺伝子を持ってるんだから、あたしにはなんにも起きないよ』ってね」[*20]
（訳注：サム・アンドリューはジャニスとともにビッグ・ブラザーを抜け、コズミック・ブルースを結成したギタリスト。ピーターはピーター・アルビン。ビッグ・ブラザーのリーダー格だったギタリスト）。
ヘンドリックスと同じように、ジョプリンもその後ウッドストックのステージに立った。

オリジナル・バンドを引き連れていなくても、そこでの演奏は周囲との絆や彼女の伝説を強固なものにした。ロックとブルースのラシュモア山にもうひとつ、巨像が彫りあげられたわけだ。

しかし、ジョプリンの友人でもあり恋人でもあったペギー・カセルタは、ドラッグの問題に関してまた別の絵を描いてみせる。「わたしたちは年も近くて、同じ南部のミドルクラスの出身でした。子供のころはジャニスのほうがたいへんだったみたいですけどね。そのせいで彼女がふさぎこんでた、って思ってる人は多いみたいですけど、でもそれはちがいます。何もかも、楽しいからやってたことだったんですよ。わたしたちは、楽しいからヘロインを打ってた。ギスギスした感じがなくなるから。彼女もわたしも、歴史上最高に大きな社会的現象のまっただなかにいたんです[21]」。

親しかった人たちが全員こんな見かたをしていたわけではない。ジャニスがブラジルの浜辺で出会って真剣に愛した男、デヴィッド・ニーハウスは、「ジャニスは、ヤクはもうやめる、って言ってました」と言っている。デヴィッドと別れてジャニスが「深く傷ついた」と言う人は多い。

ヤクが抜けるまでのあいだ、二日半もじっと抱いててやりました。そうすると、まったく違うジャニスになるんです。すっかり落ち着いてね。そのほうがきれいになれるんだってことも、自分でわかってたと思います。ほんとうに自由な人間でした。いろんな歌を歌ってくれたんですが、考えてみるといつも決まってブルースでしたね。彼女が感じてたのは、本質的にブルースだったんです。誰の痛みでも自分の痛みみたいに感じてましたから。それが、ヘロインをやる理由のひとつだったんじゃないでしょうか。他人の人生にまきこまれないようにするためにね。大半の人はまわりで起きてることに何も気づかないんですが、ジャニスはそういうことを遮断できなかったんです。[*22]

たぐいまれな思いやりの心と、自尊心や愛をめぐる内なる闘い——そういった複数の抽象的問題がヘロインをやる引き金となったのかもしれない。しかし、不安がそうさせたのだとはいえ、ヘロインの最初のヒットを経験したあとは、悪魔がその醜い頭を持ちあげていないときでさえヤクに頼るようになった。ニーハウスは彼女の体がどんな状態にあったのか、正直に語っている。「ジャニスは中毒してました。わかるでしょう？　やめさせようとしたんですけど、私がいなくなると、たぶんそう言っていいと思うんですが、弱くなってしまって、また始めてしまうんです。ぼくはもうこんな役まわりなんて引き受けられない、って何度も言いましたよ。こんなことできみが死ぬなんて耐えられない、ともね。見てるだけで心がズタズタになりました。もう出て行く、って言ったとき、彼女は『ここにいてあたしのマネージャーになってくれない？』と答えました。確かに気持ちは動きましたけど、でもヘロイン——あれにはもう我慢できなかったんです[23]」。

ニーハウスが出て行ったとき、ジョプリンはクリーンになる決心をした——健康状態がかなり悪化していたこともあっただろうが、彼に帰ってきてほしいという思いもあったはずだ。このころ家族に宛てた手紙で彼女は、ニーハウスが結婚をにおわせるようなことを言いはじめたと書き、自分も将来を真剣に考えていると続けた——単に出来事を報告しているだけでなく、そこには、家族から愛してもらい、認めてもらいたいという切なる願いがこめられていたのだろう。

「将来」という言葉についてジャニスは、相反するふたつの思いを抱いていた。ひとつは、最終的には何もかもやめてしまって誰かと落ち着きたいという思い。それも悪くなかったが、同時に、ポール・ロスチャイルド（1935－1995）というプロデューサーを得て、彼女の制作意欲は燃えさかっていた。そのころ録音したのが『ミー・アンド・ボビー・マギー』だ。クリス・クリストファーソンとフレッド・フォスターが書いたこの曲はジャニスの最も有名な録音のひとつとなり、時代を超えたクラシックとなった。力まかせにシャウトしなくても、気持ちは伝えられるということを教えてくれる歌だ。

まわりの人々はこの時期、ヘロインなどもう過去のものになったと考えていた。ジャニスは言わば、新たな個人的ルネッサンスに突入しつつあった。酒こそかなり飲んでいたものの、注射針から遠ざかって最高の作品を作っていた。表面上は、すべてが上向きだった。

次のアルバム『パール』は、念願だった成功をもたらしてくれた。しかし彼女自身は、努力の結果を目にすることなく逝ってしまった。ジョプリンがレコーディング・セッションに姿を現さなかったことで心配しはじめたロスチャイルドは、連れてこいとロード・マネージャーに命じた。しかしマネージャーが見つけたのは、ホテルの部屋の床に横たわっている彼女だった。ヘロインのオーヴァードーズ。酒も飲んでいた。[*24] ジミ・ヘンドリックスが亡くなってわずか十六日後のことだ。[*25] はたしてこれはアーティストにかけられた呪いのようなものなのか。ジャニス、ジミ、そしてブライアン・ジョーンズに関するそんな議論が、27クラブの萌芽（ほうが）となった。

それにしても、ジョプリンがカリフォルニアからオースティンに戻り、すべてを——ほんとうに何もかも——やめてしまおうとしたあの移行期には興味を惹かれる。じっくり考えてみる価値はあるだろう。彼女はアンフェタミンやヘロインから逃れようとテキサスに帰った。体のことを考えれば、表面的には正しい選択だったはずだ。しかし彼女が当時ヤクをやめられずにいたことには、突きとめるべき何かが隠されている気がする。彼女はただテキサスへ戻っただけではなかった。ファッションは保守的になり、髪をまとめ、身につけるジュエリーも少なくなった。たぶん、保守的な家族の期待に応えるためだったのだと思う。[*26] この期間ジョプリンはドラッグから遠ざかり、「すべて」から遠ざかった。音楽、ファッション、彼女を魅了したあの文化。サンフランシスコという新しい故郷を捨て、結婚し、決して順応することのできなかったコミュニティに順応しようとした。幸せを探すためだ。しかし彼女が引き替えに手放そうとしていたのは、自分を幸せにしてくれるただひとつのこと——ビッグ・シティの観衆の前で歌うことだった。私なりに言葉を換えて言えば、おそらくジョプリンは、いいも悪いも十把ひとからげに捨てようとしたのだと思う。ドラッグをやめるには、人生のすべてをある特定のライフスタイルに順応させるしかなかった。しかし言うまでもなく、伝統的であまりに平凡な生活を目指すことが心の重荷になり、ビッグ・ブラザーが町にやってくると、彼女はまたもや地平線の向こうにきらめきを見るようになった。サンフランシスコが呼んでいた。音楽、パーティー、そしてドラッグ——彼女にしてみれば避けようもないドミノのようなもの。何もかもがオール・オア・ナッシングの宇宙へと続いていた。ドラッグは、楽しく生きるための必需品だった。ある種の人々にとって、そういったものを振り払うのは困難であり、もしかすると不可能なのかもしれない。だが個人的な見解を述べさせてもらうなら、それこそが悲劇的な、あまりに何度もくりかえされてきた誤解だ。

ジョプリンを理解するには、彼女がいつも愛を求めて生きていたことを理解しなければならないのではないだろうか。彼女はまわりの人々に愛されようとし、まだほんの子供のころからそんな愛を拒絶されてきた。愛すること、そして愛されている証を求めることこそ、彼女が最も深く依存していたドラッグだ。

成功の頂点にあった一九七〇年、彼女は高校卒業十周年の同窓会に出席するため、再び故郷に帰った。そのときの態度は、前回とはまったく逆向きだった。記者会見を開き、あえてスター然としたファッションに身をかためた。テレビのインタビューでこれからのプランについて語ったときも、サングラスをかけ、ショッキング・アシッド・ピンクのフェザーで髪を飾った。きっと「(彼女を)あざ笑って教室からも町からも州からも追いだした」人々の反応を確かめたかったのだろう。故郷に錦を飾り、みんなを見かえして溜飲をさげ、そしてたぶん(ついにようやく)奇妙で突飛なほんとうの自分を受けいれてもらい、愛してほしかったのだろう。会に同席した妹のローラは言っている。「『ジャニス・ジョプリンがあんなことをやってのけたって、信じられる?』なんて、そこにいた誰も言ってくれませんでした。でも(ジャニスは)みんなが興味を持って拍手をしてくれれば勝ちだと思ってたんです。そうあるべきでした[*27]」。しかし願いは実現しなかった。町は相も変わらずジョプリンという存在をあつかいかね、困惑しているばかりだった。確かにそのときの彼女はイジメ倒せるような弱い相手ではなかっただろう。だが「会に出るため遠路はるばる来てくれたことに感謝してジョプリンに車のタイヤを贈った」という町の人々の行為には、奇妙に受動的な攻撃性を感じてしまう。クサいものにはフタをしろ、という意思のあらわれではないか。世界のアイコンとなっても、ジョプリンにとって故郷に受けいれてもらうことは大切だった。そして求めていた愛はまたしても——ささやかだが意味深なやりかたで——拒絶された。

妹のローラは、たとえこのような葛藤があったとしても、ジャニスの本質は何度も描かれてきた暗さや苦悩とはかけはなれたものだったと言っている。「不幸せに感じる部分はあったと思いますけど、でもジャニスは基本的にハッピーな人だったし、成功したことをすごく喜んでました」[28]。またローラは、高校時代にジャニスが受けた屈辱は、当時のほかのティーンエイジャーが体験したこと以上でも以下でもなかったと述べ、それがより内面的な問題となったのは、ジャニスが「屈辱を自分の魂のなかへ深く深くすりこんでいって、最後にはそういう出来事が個人的な神話にすっかり織りこまれてしまった」[29]からだとも言う。この言葉は、ジャニスがどこまでも繊細でどこまでも思いやりのある人間だったというニーハウスの評価と呼応する。ほかの人ならあっさり忘れてしまうようなことが、ジャニスの心の深い部分に影を落としていったわけだ。

彼女が亡くなった直後、ジョン・レノン（1940－1980）はテレビのインタビューで、ジョプリンから郵便でテープが送られてきて、そこには彼のために歌った『ハッピー・バースデイ』が録音されていたと言った。テープが届いたのは死後だった。将来、どうやったらこういうオーヴァードーズが音楽業界から減ると思うかと尋ねられたレノンは、こう答えている。「誰も訊かない基本的なことがある。どうして人は、アルコールであれ鎮痛剤であれハード・ドラッグであれ、ヤクをやるのか、ってことだよ。つまりね、ぼくらが社会からとんでもないプレッシャーを受けてて、そのせいで、プレッシャーから自分を守らないと社会で暮らせないような状態になってるんじゃないか、それはあやまちなんじゃないか、ってことさ[*30]」。

「実感はありませんけど、なんとか二十七歳の誕生日を迎えることができました」。ジョプリンは最期が近づいていることも知らないまま、家族宛ての手紙のなかでそう書いた。「二年前には、二十七歳になんてなりたくない、って思ってました。いや、それはホントじゃないな。まわりを見まわしてて、気づいたことがあるんです。才能があるレベルまで達したら、そういう才能のある人は大勢いるけど、そのあとは野心がすべてを決める要素になるってこと。っていうか、わたしが考えるかぎり、大切なのはどれだけ必要としてるかだと思う――どれだけ愛されたいか、とか、どれだけ自分を誇りにしたいと思ってるか、とか。野心って、そういうことじゃないのかな。地位とかお金を追いもとめるような、下品なことばっかりじゃないと思う。たぶんすべては愛のため、なんだ。たくさんの愛のため」[31]。
たぶんこの言葉とその前のレノンの言葉をすりあわせれば、部分的にではあれ、ジョプリンの考えたこの社会のあやまちが見えてくるのではないだろうか。それはまさに、愛の欠如、だ。

エイミー・バーグ（『ジャニス：リトル・ガール・ブルー』の監督）は、「ヴォーグ」誌のインタビューで、ジョプリンの物語についてまわる「悲劇的」などという決まり文句のウソを暴いてやりたかった、と発言している。

> 彼女がいつも酒を飲んでドラッグをやっていたという事実を矮小化するつもりはありません。結局のところ、それがわたしたちから彼女を奪っていったんですから。でも、若いスターのオーヴァードーズっていう範疇では、女性は男性とはちがったふうに記憶されると思うんです。男性はどんな人間だったかで記憶される。でも女性は悲劇とか喪失とか、そういうことで記憶されるんですよ。そこに疑問を投げかけたいと思いました。確かに彼女を失ったのは悲劇ですが、どんなふうに生きたかとか、何をあきらめたのか、とか（そういうことを描きたかったんです）……ビューティフルで、才能と情熱にあふれた人間だった。彼

女はそういうふうに記憶されたかったんじゃないでしょうか。たった二十七歳でした。人生のレッスンを学びはじめたばかりだった。まだ、ほんとうに、若かったんです。[*32]

---

*1 ディック・キャヴェット TVインタビュー『ザ・ディック・キャヴェット・ショウ』08/03/1970
*2 「ジャニス・ジョプリン」Biography.com 05/30/2018アクセス
*3 「ジャニス・ジョプリン・バイオ」ローリング・ストーン・エディターズ RollingStone.com 05/30/2018アクセス
*4 『ジャニス・ジョプリン：リトル・ガール・ブルー』監督エイミー・バーグ 製作ディスアーミング・フィルムズ 103分（2015）
*5 同右
*6 同右
*7 同右
*8 同右
*9 同右
*10 同右
*11 同右
*12 同右
*13 同右
*14 同右
*15 同右
*16 同右
*17 「ゼアズ・モア・トゥ・ジャニス・ジョプリン・ザン・トラジェディ」ジョシュア・バラハス PBS.com/NewsHour 05/02/2016
*18 『ジャニス・ジョプリン：リトル・ガール・ブルー』バーグ（2015）
*19 同右
*20 同右
*21 同右
*22 同右
*23 同右
*24 『ベリード・アライヴ：ザ・バイオグラフィー・オブ・ジャニス・ジョプリン』マイラ・フリードマン（クラウン・パブリッシング ニューヨーク 1992）
*25 「ジョプリンズ・シューティング・スター：1966-1970」ThePopHistoryDig.com 05/30/2018アクセス
*26 「ジャニス・ジョプリン」Biography.com
*27 「ゼアズ・モア・トゥ・ジャニス・ジョプリン・ザン・トラジェディ」バラハス PBS.com 2016
*28 同右
*29 同右
*30 『ジャニス・ジョプリン：リトル・ガール・ブルー』バーグ（2015）
*31 同右
*32 「ザ・ニュー・ジャニス・ジョプリン・ドキュメンタリー・イズ・ア・ポートレイト・オブ・ジ・アーティスト・アズ・ア・ヴェリー・ヤング・ウーマン」ジュリア・フェルステナル Vogue.com 11/24/2015

†

JIM MORRISON

ジム・モリソン

1943－1971

「愛がどんなにすばらしいかって、みんなが口にするけど、くだらないね。愛は傷つけるもんだぜ。感じることも人を不安にする。人は、痛みは悪いもので危険なものだって教えられてるよな。感じることを怖がってて、どうやって愛と向き合えるんだ？　痛みってのは俺たちの目を覚ますためにある。痛みってのは感じることだ――自分が感じたことは自分の一部なんだよ。痛みを感じる権利のために立ちあがるべきだね」*1

――ジム・モリソン

27クラブの存在をはじめて人の口の端にのぼらせたのがブライアン・ジョーンズだとしたら、都市伝説のテーマとしての位置を確立させた人物は、おそらくジム・モリソンだろう。クラブのリストのなかで、モリソンほど奇妙な神話に彩られたミュージシャンはいないと言っていい。それを知るには、二〇〇九年のドキュメンタリー『ドアーズ／まぼろしの世界』のオープニング・シーンを見るだけで充分だ。この作品で、ヒッチハイクをしているモリソンは、ラジオ番組が彼自身の訃報を事細かに伝えるのを聞きながら、ドアーズのファンも自分のカルト的信奉者も通常のファン層とは異なっていることを認識する。モリソンのファンは彼を語るとき、独特の魔術的思想を付与したがる。そんな宗教的熱狂こそ、ドアーズ時代のモリソンが意識的に身にまとっていたものだ。

ドアーズのことを最初に耳にしたのは、一九六六年だったと思う。私が十五歳のときだ。もちろん『ハートに火をつけて』を聞いてはいたが、最初はジャズのレコードだと思って気にかけなかった。それほどイカれた音だった。ドアーズがほかのバンドとあまりにかけはなれていたせいで、ある程度耳慣れないと理解などできなかったわけだ。だがジム・モリソンという男がステージ上でとんでもないことをやりはじめると、私は熱心に彼らを追いかけるようになった。

彼のルックスは――アーティストたちがどれほどやっきになって否定しようと、外見は非常に重要なファクターだ——無視できないものだった。あたかもダビデ像のように古典的なモノクロ写真が発表されたとき、すべての視線が釘付けになったのは当然だろう。モリソンが誰の怒りを買おうと、それは変わらなかった。

先輩格のジョン・レノンもそうだが、モリソンには、ほかの誰より精神的に深遠な存在だという雰囲気があった。彼は違っていた。読書家だった。詩を愛していた。教養もあった。ただのごろつきロックンローラーではなかった。「リザード・キング」というペルソナは、ボウイの「ジギー・スターダスト」や「アラディン・セイン」と同じく、二重人格的現象を生みだした。現実離れした神話。多岐にわたるテーマを持ち、ときに霊的なイメージさえ感じさせる歌詞。そのへんのバンドとは異なり、ありふれたセックスやありきたりの色恋沙汰を歌ったあまりサエない歌詞でも、コトバなんて単なる雰囲気作りでしかなく、その裏には彼がほんとうに表現しようとしている別の何かが隠されていた。

写真も記事も映像も、この男が内なる悪魔を抱えていることをにおわせた。その悪魔がどんなものなのか、どこから来て、どうして彼の心のなかに棲んでいるのか、当時の私には謎だった——おそらく、本書リストの誰より謎だったと思う。モリソンはただただ魅惑的な存在だった。しかし、ほんとうにすべてを備えているように見えたのに、いったい何が彼を苦しめていたのか、解析するのは困難だった。

彼もバンドも、歌やサウンドへのアプローチに関してユニークな視点を持っていた。そのことはマイナスではなかったはずだ。ドアーズのようなサウンドは誰にも出せなかった。今に至るまで、それは変わらない。

ビング・クロスビー（1903―1977）、エルヴィス・プレスリー（1935―1977）、フランク・シナトラ（1915―1998）。歌唱面ではそういった人々に最も大きな影響を受けた。音楽的素養は実質的に、ないに等しかった。何より自分は詩人だと考えていた。彼はただ……人とは違っていた。


イメージにはそぐわないが、父親のジョージ・モリソンは海軍少将だった。「トンキン湾事件のとき（中略）米海軍司令官[*2]」にもなった男だ。なのに、ジム・モリソンは理想的な軍人の子息とは言えない少年だった。成長してからも、ベトナム反戦の優れたプロテスト・ソングをいくつも歌った――世代のはざま、カルチャーとカウンターカルチャーのはざまにおける中心的存在となったわけだ。子供時代の彼は父親の仕事の必要性から、家族といっしょにあちこちの海軍基地を転々とした。

ジムは矛盾した若者だった。勤勉な学生にしてトラブルメーカー。学問で身を立てられるくらい高いＩＱを持ちながら、教師たちがいささか手を焼くくらい反抗的な性格。ここにはブライアン・ジョーンズが作ったパターンの萌芽がある。モリソンは早くからウィリアム・ブレイクやフリードリッヒ・ニーチェを読み、酒の味を覚えた。成績優秀者のリストに入っていたものの、学校にとどまっていたのは単に兵役が嫌だったかららしい。

進学したのはＵＣＬＡの映画学科。在学中に自分の名前で一本、アート・フィルムを撮っている。そのころすでに、サイケデリアや映画作りやブルースやジャズについて哲学的議論をブチあげ、のちのバンドメイト、レイ・マンザレクと「月に何度か」[3] ＬＳＤをやった。大学の単位をとりおえても卒業式には出席せず、その後は根無し草のような暮らしを続けた。カリフォルニアの友人の家の屋上で生活したこともあった。

比較的知られた話だが、レイ・マンザレクと再会したのはヴェニス・ビーチだった。ばったり顔を合わせ、同じ大学に通っていたことを思い出したという。マンザレクは著書でそのことを回想しながら、のちのモリソン・ファンだけでなく、スターになる以前から周囲の人々の心をつかんでいたモリソンと、その茫漠としたカリスマ性についてこう書いている。「彼の背後に陽光が降りそそいでいる。シルエットになったその男は波打ち際を歩いていき、しぶきをあげる。まるでインドの神のようだ。クリシュナ――青き神。なかば影になり、カットオフ・ジーンズをはいて上半身は裸。体重は百三十五ポンドほど。痩せて、身長はおよそ六フィート。長い髪をしたレールのように細い男。水辺に姿を現したその幻に、奇妙ななつかしさを覚えた。海そのものの顕現だろうか？　我々の母たちがこんな実体を紡ぎだしたのだろうか？　それとも、澄明さや全体性に対する私自身のユング的憧れが投影されたのだろうか？　私はもう一度眺める。今度はもっとしっかりと。光のなかから、太陽の向こうから、我が視界へと、我が意識のなかへと立ち現れるのは、誰あろう、ジム・モリソン！」[*4]。明らかに、ジムには人と異なる何かがあった。その何かがバンドを組む以前から、ごく親しい人も含めて、周囲のカルト的熱愛を呼び起こした。

　モリソンはマンザレクに『月光のドライヴ』という自作の詩を、即興のアカペラで歌って聞かせた。それがのちに、多くのファンから愛されるドアーズのナンバーになった。マンザレクは詩的な言葉づかいに心を動かされ、バンドを結成しようとその場で決心した。

　ジムはみすぼらしい屋上生活に別れを告げ、マンザレクが当時のガールフレンドと住んでいた家に転がりこんだ。そこへギターのロビー・クリーガー（1946年生まれ）とドラマーのジョン・デンズモア（1944年生まれ）もくわわった。メンバーは共通の興味を持っていた。人間の解放を目指す詩、哲学、幻覚（サイケデリア）。ふと思いつき、連れだってカリフォルニアの砂漠まで出かけ、しばらくとどまって全員でドラッグ・トリップを体験することもあった。モリソンはとくにオルダス・ハクスリーとウィリアム・ブレイクにご執心だった。ゆえにバンドは、ハクスリーがメスカリン・トリップの深遠な意味をテーマに書いた『知覚の扉（ザ・ドアーズ・オブ・パーセプション）』にちなんで（このタイトルもウィリアム・ブレイクの詩句からとられている）ザ・ドアーズと名づけられた。それまでモリソンはほとんど人前で歌ったことがなかったというし、クリーガーもエレキ・ギターに持ち替えたばかりだった。だが彼らはひるんだりしなかった。マンザレクは曲作りやリハーサルの拠点にするため、一軒家を借りた。

「ジムは楽器をやらなかったからね」とマンザレクは回想する。「だから、頭のなかで聞こえてる曲にコトバをつけて歌ってくれたんだ。で、ジョンとロビーとわたしがメロディを作ってアレンジを考えるわけさ。コード・チェンジだとか、リズムだとかね。そうやってジムのまわりにドアーズの音楽を作りあげていったんだよ[*5]」

モリソンは、バンドのみんなで曲作りをしたらどうかと提案したが、実際に曲を提出したのはクリーガーだけだったようだ。それが『ハートに火をつけて』だった[*6]。

そのころにはメンバー全員が幻覚剤（サイケデリクス）とアルコールの手練れになっていた。そういったものは当時盛りあがりつつあった文化の大事な部分だったし、モリソンにしてみれば、厳格で保守的な軍隊式教育への反発でもあっただろう。酒とドラッグなしには、モリソンのどんな物語も成立しなかった。文学の世界でも映画の世界でも、ヒーローはみんな「危険なほどの酔っ払い」だった。ハクスリーをはじめとする知的アイドルの系譜はすぐ目の前にあった。危険な生きかたや薬物による哲学探究を思いとどまるようなヒーローは、ひとりもいなかった。

だから、若きジム・モリソンもそれに倣った。[7] ドアーズという名前をつけた根拠は、ブランド作りというより、彼らが追いもとめようとしたひとつの信条にあった、というのが正しいだろう。「知覚の扉が磨きあげられれば、人の目にはすべてのもののあるべき姿が見えてくる。無限の姿。自分を閉じこめている人間には、洞穴の狭き隙間から見えるものしか見えてこない」[8]。この言葉の意味するところはもちろん、今や私たちにおなじみとなったカウンターカルチャー／ヒッピー・ムーヴメントの世界観の根っことなっている。サイケデリック・ドラッグは現実に対する知覚をねじまげるのではなく、むしろ現実のもっと正確な形——無限に抽象的な形を見せてくれるのだということ。だとすれば当然「洞穴の狭き隙間」とは、私たちが生きている月並みな現実を象徴していることになる。このような世界観を持つ人間が、どれほど真摯に宇宙の深遠なるミステリーを追究しようとしているのかは、きっとケース・バイ・ケースだろう（神秘的なコトバをふりかざして言い訳をしているだけのヤツらだっているはずだ。そういう手合いは、単にハイになりたいからハイになっているにすぎない）。でもモリソンやドアーズの場合、心底マジメに信じていたフシがある。本書リストの多くの人々もそうだが、彼らの見かたに従えば、ドラッグはただの娯楽ではなかった。ドラッグは答えだった。深遠にして価値ある何かへと至る道すじ。少なくとも、モリソンとバンドはそう主張した。

ドアーズはしばらく、宅録でデモを作りながら糊口をしのいでいたが、何度かギグをやると、ウィスキー・ア・ゴー・ゴーという店のブッキング担当だった女性の目にとまった。彼女はすぐに「モリソンに魅せられて」[*9]しまい、ドアーズはほどなくウィスキーのハウス・バンドとして雇われ演奏するようになった。すっかり様変わりした現在の姿とちがって、当時のウィスキーは数あるＬＡのホット・スポットのなかでも最高にホットな店だった。トレードマークとして人目を引いたのは、ステージの頭上高くにしつらえられたプラットフォームの「ゴー・ゴー・ダンサーズ」。往年のビッグ・ネームが次々と出演した。まだ実質的に無名だったドアーズがヴァン・モリソン（1945年生まれ）や、ロック・バンド、バッファロー・スプリングフィールドの前座を務めたこともある。

モリソンの風変わりではあるけれど魅力的なライヴ・パフォーマンスのおかげで、ドアーズは評価を高めていった。アガっていたり不慣れだったりしたせいだろうが、最初のころモリソンは客に背中を向けて立ち、一度も顔を見せないこともあった。逆に、なんの予兆もなく奇妙な痙攣状態に突入したり、即興で歌ったり、酔っぱらって叫んだりもした。どちらにせよ、客は大喜びだった。あまりの気まぐれぶりが大きな呼び物となっていった。

地元で人気が出てきたころのことだ。モリソンはアシッドでヘロヘロになりながら、いきなり『ジ・エンド』のひどく露骨なヴァージョンを披露した。演奏の途中、メンバーになんの断りもなく即興で歌いはじめたわけだ。歌詞の内容は今や有名だが、父を殺し母を犯すという、オイディプス王の物語に触発されたものだ。おかげでドアーズはウィスキーをクビになったが、彼らの勢いはもはやとめようがなかった。まもなくエレクトラと契約し、ポール・ロスチャイルドのプロデュースでファースト・アルバムを録音した。

ファースト・シングル『ブレイク・オン・スルー』はトップ100にも入らなかった。しかし、クリーガーの作った『ハートに火をつけて』が、生まれてはじめて書いた曲だったにもかかわらず、大衆の心の琴線に触れ、チャート一位に輝いた[10]（訳注：クリーガーが大部分を書いたのは事実だが、クレジットはメンバー全員）。

モリソンは家族と連絡をとらなかったし、一位になったことを知らせもしなかった。だがアルバムを買った家族の友人がジムの弟に、「ジャケットの男がちょっとジムに似てるんだよ」と教えた。両親と弟は本人であることに気づいたが、事態はさらに複雑で思いがけないものとなる。アルバムの内ジャケでジムが家族についてこう書いていたからだ。「家族の情報：死別[11]」。

バンドがメインストリームとなっても、モリソンは飼いならされたりしなかった。むしろ、カウンターカルチャーやドラッグ・カルチャー、そしてあらゆるタブーの権化だと見なされることに喜びを感じていたらしい。ドアーズの曲は次々とチャート入りしはじめた。まるで一夜にして名をなしたようだった。

バンドはエド・サリヴァン・ショウを出禁になって悪名を馳せた。ドラッグ・ハイに言及した曲は歌詞を変えて歌うと合意しながら、いざとなるとそれを無視し、生放送でそのまま歌ってしまったからだ。ウィスキーでの出来事をはじめとして、このフロントマンはすべての権力をさげすんでいた。どんな人間にも、ルールにも、社会規範にも従おうとしなかったし、従えなかったのだと思う。モリソンを検閲し制限しようとした人々は気づいていなかった。彼の活力源は自分に向けられた怒りだった。そしてファン層は、モリソンが怒りを買えば買うほど彼を愛した。

これ以降のモリソンの行動は、計算した上での挑発か、酔っぱらった上でのナルシシスティックなご乱行か、もしくはそのふたつのいりまじったものになった。ドアーズのコンサートは、初期のローリング・ストーンズのライヴのように、一触即発で法律スレスレの攻撃的エネルギーにあふれ、モリソンがそんな状態をさらにあおったせいで、しばしば警察の介入を受けた。モリソンは高貴でもあり、同時に低俗でもあった。ある瞬間、高邁な詩人のイメージを身にまとったと思ったら、次の瞬間にはぐでんぐでんの刹那主義的ロクデナシになった。おまけに時が経つうち、警察との摩擦を楽しむようになっていたフシもある。ある日、警官にバックステージから出るよう言われたときのことだ（その警官は相手がモリソンであることに気づいていなかった）。彼はまちがいを指摘しようともせず、即座に「ゴー・ファック・

ユアセルフ」と吐きすてた。当然のごとく激怒した警官は彼の顔面を警棒で殴りつけた。するとモリソンは直後のステージで、客に向かって何があったかまくしたて、警官を愚弄（ぐろう）し、マイク前に連れてきてしゃべらせようとした。だがかわりに、会場にいた警察がモリソンを「治安紊乱（びんらん）」のかどで逮捕してしまった。

ストーンズの場合もそうだったが、警察に対するモリソンの挑発は、ファンをさらに熱狂させ、不良のイメージを根づかせた。モリソンがトラブルを起こせば起こすほど、ファンは彼を愛した。みんながライヴを見に来たのは、音楽ももちろんだが、「マッドマン」が次に何をしでかすか確かめるためでもあった。モリソンも注目を浴びることが大好きだったし、他人を刺激したり挑発したりすることが大好きだったのだろう。コンサート前に観客席へ踏みこんでいき、実際にさわられたりまさぐられたりすることもあったくらいだ。彼はまわりの期待に応えながら、狂気を増大させ、過激な行為を重ねていった。[*12]

あの悪名高きエピソードが生まれたのは、一九六九年三月一日、マイアミでのことだ。いらだたしげに長々とＭＣをやったあと、性器をひっぱりだし、観客に向かってマスターベーションの真似事をしてみせたという話。この出来事は国中で倫理的な議論をまきおこし、あちこちで批判的な記事が書かれ、結果モリソンはＦＢＩに出頭するハメになった。判決は有罪。重労働つきの刑が言い渡された。[*13]

二〇一〇年になって、フロリダの恩赦委員会はモリソンの赦免を決定した。ドアーズのドラマー、ジョン・デンズモアはこの動きに賛成だった。彼に言わせれば、問題になるようなことなど、もともと何もなかったからだ。デンズモアは同年、『ハリウッド・リポーター』誌にこう語っている。

ちょっと言ってもいいかい？　あいつはそんなことなんて、やらなかったんだよ！　俺もその場にいたんだからね。ジムが金のシャフトを見せたんだったら、俺にもわかったはずじゃないか。何百枚も写真が撮られて、警官もたくさんいたってのに、証拠は何ひとつないんだしさ。そりゃ、ジムは酔っ払いだったし、人騒がせでクレイジーなやつだったよ。でも偉大なアーティストでもあった。あの狂いっぷりもいいけど、あいつのことはあいつのアートで覚えておいてほしいもんだね。[*14]

ステージ上では、すべての噂や言動がプラスに作用した。しかしステージを離れると、どうしようもない酔っ払いであり何をやりだすかわからない人間だという評判がついてまわった。いろんな話が出まわりはじめた。ＬＡ内外でのケンカ騒ぎ。警官との揉め事。そしてジャニスと会ったときのこと。モリソンはおよそ手のつけられない状態になり、断りもないまま彼女の腿に顔を埋め、ジャニスから酒瓶で殴られたという。[15] それでも彼はステージ上で讃えられた。こんな放埒ぶりが、人生そのものにまで滲みだしていかないわけがなかった。『太陽を待ちながら』までのモリソンの所業は、すべておさまるべきところにおさまり、伝説を育ててくれた。「思うに、七十五%から八十%の場合、あいつはしっかりしてたよ。スタジオでは実にプロフェッショナルだったしね」とマンザレクは回想する。「伝説的なキ印(じるし)野郎は、スタジオじゃすばらしくいいやつだったんだ[16]」。

プロ意識は残念なことに、長続きしなかった。モリソンはひどく酩酊した状態で歌入れに現れるようになり、次のアルバム『ソフト・パレード』では、約半数の曲作りをクリーガーにまかせた。以前の作品では単に「ドアーズ」とクレジットされることを望んだモリソンだったのに、このアルバムのライナーではじめて、クリーガーと彼のどちらがどの曲を書いたのか明示するようにもなった。[17] ストーンズのパターンがここにもあてはまるのだとしたら、モリソン物語の次の展開は簡単に予測できるだろう。マンザレクが幻覚剤の量を減らそうとし、現実超越のための手段として瞑想を用いはじめたというのに、モリソンはさらに深みへはまっていった。そして、明白なアルコール中毒の症状や奇矯な行動が悪影響を及ぼしはじめる。コンサートの途中、いや、ときには冒頭でいきなりぶっ倒れることもあった。そうなるとライヴを進行させるためだけに、マンザレクがかわりにジムのヴォーカル・パートを歌ってやらなければならなかった（彼自身も魅惑的なバリトンだ）。

くっついたり離れたりしていたガールフレンドのパメラ・クアソンの勧めもあって、モリソンはバンドをやめて詩を探究したいと言いだした。メンバーは、すぐに決めなくてもいいし、まずはシラフになれ、と言ってなんとか彼をなだめたが、モリソンは一週間ほど従っただけで、またしてもやりたい放題の生活に戻った。

ロンドンで長いあいだ飲んだくれの日々を過ごしていたモリソンは、ほかのメンバーが車のメーカーに『ハートに火をつけて』のCM使用許可をあたえたことを知って激怒した。彼に言わせればCMなどゲスの極み、物質主義の象徴であり、神聖であるべき音楽とかかわらせてはならないものだった。このことと、ほとんど間断ない飲酒があいまって、以前あんなに親密だった同志とのあいだに距離ができはじめる。コンサートの規模が大きくなるにつれ、モリソンは遠い存在になった。観客に向かってわけのわからないことを叫んだり、暴動をあおったり、汚いコトバでファンを罵ったりもした。

晩年になると、モリソンは目に見えて太った。「ヘンドリックスとジョプリンの死に動揺し（中略）友人に（冗談まじりだが）『三人目がここにいるぜ』と言っていた[*18]」という。モリソンと世界の住民は誰しも、ニクソン政権の誕生やマンソン事件に打ちひしがれた。LSDに支えられながらラヴ・ジェネレーションが見ていたユートピアの夢が崩れ去りつつある。[*19]それが実感だった。モリソンは哲学者のごとき髭と、アルコールと、のちにはコカインの陰に隠れ、世捨て人のようになった。彼にかけられたさまざまな嫌疑のせいで、バンドのツアーやレコーディングのスケジュールはめちゃくちゃだった――ここでも事態はブライアン・ジョーンズの場合と瓜二つだ。

よりブルージーになったと賞賛された『LA・ウーマン』を録音したあと、モリソンはパメラ・クアソンとパリへ移住し、詩作に専念した。戻るつもりは、なかった。

モリソンの死因については諸説ある。DJのジム・ラッドは、老舗のロック・ラジオ局、FM95・5でこう言った。「モリソンの死にはミステリーの雲がかかっています。死んだというのはデタラメであってジムはまだ生きている、と言う人もいるからです。モリソンの自作自演なのか。彼の姿を見たという報告がすでに何件もはいっています」[20]。ヒーローのひとりだったエルヴィス・プレスリーのときも同様の陰謀説が流れたのだから、本人が生きていればきっとこの手の話を喜んだにちがいない。『ローリング・ストーン』誌は単に「心不全」と報じただけだった[21]。今に至るまで死の詳細がつまびらかになっていないという事実は、当然ながら、ファンのあいだで神話のステイタスを高めるという効果しかもたらさなかった。現在でも陰謀説論者のなかには、モリソンが死んではおらず、外国へ逃げて隠遁生活を送っていると唱える人がいるくらいだ。埋葬地はパリ、ペール・ラシェーズ墓地の「ポエッツ・コーナー」。近くには大好きだった詩人や作家が何人も眠っている。モリソンの墓はヒッピーの巡礼地となった。あまりに多くの人が訪れたせいで胸像の頭部や肩の部分が壊れてしまい、結局、像は墓からとりのぞかれることになった。

モリソンの個性を薬物濫用と分けて考えることは難しい。幻覚剤使用の裏には彼なりの哲学があったわけだし、そういった行為と彼の提唱していたムーヴメントとは切っても切れない関係にあったからだ。多くのファンがドアーズをフォローしはじめた理由も、それだった。カウンターカルチャーは、薬物を用いて脳の状態を変化させることと緊密に結びついていた。だが私としては、薬物使用をいったんモリソンから引き離して考えてみたいという好奇心に駆られてしまう。善悪の判断は置いておいて、私が知りたいのは、どこまでが酒のせいであり、どこまでがドラッグのせいであり、そしてどこまでが本人の才能であったかだ。モリソンのＩＱは異常なくらい高かった。どこまでがそんな彼の意図であり、ゆえに他人にはマネのできないものだったのだろうか。あのライヴ・パフォーマンス。大衆の期待をもてあそぶような行為。そういったものは、酔った上での単なるアクシデントだったのだろうか。ふたつめの疑問の答えを見つけるのは困難だろうし、彼の伝説の多くが、酩酊状態だとか肉体の露出をよりどころにしているのは実に残念なことだと思う。伝説になるべきは、イケメン・ロックスターの悪行の数々ではなく、非凡な知性からしか生まれ得なかったあの歌詞や詩情やソングライティングではないか。ロック・スターになるだけだったら、正しいルックスと正しいタイミングと正しい場所、そして正しい自信（私が言っているのだからまちがいない）があれば、あとは運まかせでも充分に可能だろう。しかし、詩や思想を生みだすには、運まかせなんて絶対ムリな話だ。モリソンの内部には、酔っ払いのゴシップネタと天才性が混在していた。小麦の殻と小麦そのものがなかなか分別しにくいのと同じことだ。それでも、ドアーズ・ファンには冒瀆かもしれないが、言わせてもらおう。モリソンがほかにどんな才能を持っていたのか、ついに確かめられなかったのが、私には悲しい。あれだけ高い知性を備えていた男だ。疑いなく、もっといろんなことがやれたにちがいない。薬物や酒が彼の営みを支えていたのか、それとも妨げていたのかは、ドラッグ推進派がなんと言おうと、かなり議論の余地のあるところだと思っている。だがのちにシラフになったとしても、それでもモリソンは詩を書きつづけ、音楽を作りつづけたのではないだろうか。自分の観点を肯定されようと否定されようと、大衆や社会や世界に向かって発言しつづけたのではないだろうか。もちろんこれは、ひとりのミュージシャンの意見にすぎない。

私の息子はこれまでに何度も、個人的な場やチャリティ・コンサートなどでドアーズのギタリスト、ロビー・クリーガーとジャム・セッションをやってきたのだが、彼が電話をかけ、クリーガーの考えや思い出を聞きだしてくれた。

ジム・モリソンは天才だった。分裂気質じゃなかったとしても、天才だったと思うね。弟とか妹はまったく普通の人間なんだ。同じ親から生まれたんだけどね。『ジムは親父のことが大嫌いだった。提督だったから』とかなんとか、人は言うけどさ。でも、そんな怒りを感じてるからって、それだけでいい音楽が作れるわけじゃない。確かに、ジムにはエディプス・コンプレックスがあったと思う。多くの人が考えるより、それはずっとはっきりしてた。でもエディプス・コンプレックスなんて、たいていの人間が持ってるもんだし、男だったらとくにそうじゃないか。象徴的な意味で母親を愛して、父親を嫌う、ってことではね。だがジムの場合は、それが実際的な意味を持ってたんだよ。あいつは実際、お母さんを愛してた。アシッドをやってる最中、月にお母さんの面影を見たりね。あいつの親父さんは海軍だったから、ジムをボートに乗せて海に出て、銃を撃たせたりしたらしいんだ。ジムはそういうのが嫌だったんだよ。だから「父親を殺す」ってのは、つまり、もっといいことがやりたい、って意味なのさ。父親より大きな存在になりたい、っていうかね。父親を越えるようなことがやれるようになりたい、ってことなんだ。でもジムに関しちゃ――誰にもわからないけどね。

ジムが死んだころは、ジャニスやジミのこともあって、そういうのがある種の「スタイル」だったんだよ。みんなが『死ぬんだったらベストの状態でいるときがいいよな』って考えてたわけだ。そうすれば老いぼれずにすむからね。トシをとったら魔法なんて忘れちまうから、ってさ。でも今の俺は、特別そんなふうには思わない。それに、ジムがそんなことを考えていたとも思えない。今ジムが生きてたとしても、音楽をやってたかどうかはわからないけど、映画にはかかわってただろうね。それがあいつのほんとうにやりたかったことなんだ。映画監督だよ。なんとなく脇道にそれちゃったんだろうな。映画学校に行ってたんだしね。だけど、そのうち何かをやるだろうなとは思ってたよ。ああいうふうにいなくなるなんて、自分じゃ絶対に考えてなかったはずだ。ジャニスとかジミのことはわからないけどね……だってあのころは、みんながクソッタレのヘロインにどっぷりだったんだからさ。わかるだろ？　そういうことが人気だったんだよ。おまけに当時は、その手のドラッグをやって同時に酒を飲むのはダメだなんて、誰も知らなかった。そのせいで大勢の人間が命を落としたんじゃないかな。

こういうことをロマンティックだと考えてる若いやつらには、早死になんてもったいない、って言いたいね。だって人ってのは、五十歳とかそれよりあとにならないと、たいてい、ほんとうにすばらしいことはやりとげられないもんだからさ。ジミとかジャニスとかジムは天国にいて、今でも二十七歳でジャムってるんだ、なんて考えてる人は多いようだけどね。でも、思うんだよ。天国だとかそういうところへ行ったとして、ずっと死んだときの年齢のままだとしたらどうなんだろう、ってさ。死んだあと永遠に八十だなんて俺もまっぴらだし、だから若くして死ぬのは魅力的なんだ、ってことなんだろう。でも物事、そんなふうには行かないんだよ。

---

*1 『ジム・モリソン：テン・イヤーズ・ゴーン』リジー・ジェイムズ『クリーム』誌 1981

*2 「ジム・モリソン」Biography.com 05/30/2018アクセス

*3 『ザ・ドアーズ：ホエン・ユーア・ストレンジ』監督トム・ディカロ　配給ライノ・エンターテインメント　86分（アメリカ 2009）

*4 『ライト・マイ・ファイア：マイ・ライフ・ウィズ・ザ・ドアーズ』レイ・マンザレク（バークリー　アメリカ 1999）

*5 「ザ・ドアーズ・マンザレク、ゲスト・ギタリスト・マーク・ベノ・リメンバーズ・ジム・モリソン」クリス・M・ジュニア Goldmine.com 10/26/2011

*6 『ザ・ドアーズ：ホエン・ユーア・ストレンジ』ディカロ（2009）

*7 「ジム・モリソン・バイオ」RollingStone.com

*8 『ザ・ドアーズ・オブ・パーセプション・アンド・ヘヴン・アンド・ヘル』オルダス・ハクスリー（チャットー&ウィンダス　イギリス 1954）

*9 『ザ・ドアーズ：ホエン・ユーア・ストレンジ』ディカロ（2009）

*10 同右

*11 同右

*12 同右

*13 同右

*14 「ザ・ドアーズ・ジョン・デンズモア：ジム・モリソン・ディドゥント・エクスポーズ・ヒムセルフ」シャーリー・ハルペリン HollywoodReporter.com 12/02/2010

*15 『ロング・タイム・ゴーン：ジ・オートバイオグラフィー・オブ・デヴィッド・クロスビー』デヴィッド・クロスビー&カール・ゴットリーブ（ダ・カーポ・プレス　アメリカ 2005）

*16 「ザ・ドアーズ・マンザレク」ジュニア Goldmine.com

*17 『ザ・ドアーズ：ホエン・ユーア・ストレンジ』ディカロ（2009）

*18 同右

*19 同右

*20 同右

*21 「ジム・モリソン・バイオ」RollingStone.com

†

JEAN-MICHEL BASQUIAT

ジャン＝ミシェル・バスキア

1960－1988

「美術評論家の言ってることなんて、聞かないね。
アートを見つけるために評論家が必要だなんて、
そんなやつ、いやしないさ[*1]」

——ジャン＝ミシェル・バスキア

ロバート・ジョンソンと同じように、シロウト目には、ジャン＝ミシェル・バスキアの作品は単純で子供っぽく見える。だがそれは必ずしも、彼の意図しなかったところではない。バスキアはあえてストレートでエネルギッシュなタッチを使って絵や素描を描き、単語やフレーズや名前を何度も書きこんでは消し、絵筆をまるで子供がやるように持ったりした。[★2]「子供が描いたような絵にしたいんだよ」[★3]と彼は親友でもあり、ファブ・5（ファイブ）・フレディとして知られるラッパーでもあるフレッド・ブラスウェイト（1959年生まれ）に言った。

しかしながら、ちょっと眺めただけでは、彼の作品ひとつひとつに潜む歴史的・文化的・個人的な暗喩の広さと深さを理解することはできない。そこから見えてくるのは、高度な教育を受けた多面的な芸術家の姿だ。謎の上にまた重ねられた謎は、それぞれの作品をしっかり見ようとしなければ表面近くには浮いてこない。ダ・ヴィンチやゴッホといった大芸術家から、ロバート・ジョンソンのようなブルース・アーティスト、ジョン・コルトレーンのようなジャズ・アーティスト、そして進化生物学の祖チャールズ・ダーウィンやヴォルフガング・モーツァルトまで。バスキアの作品には無数の人々が登場する。まだ二十歳前後だった彼にとって、学問に関してもアートに関しても無価値なジャンルなど存在しなかったようだ。

バスキアがこんな手法を使いはじめたのは、偉人たちの仲間入りがしたかったからだと言う人もいる――しかし評論家もファンも、結局のところは彼が殿堂入りを果たしたことを認めざるを得ないだろう。

バスキアが生まれたのはブルックリン。母親がブルックリン美術館へ連れて行ってくれたおかげで、幼いころからアートに親しむことができた。父親は会計士だった——スーツとネクタイ姿の裕福で保守的な男。モリソンやコベインの場合もそうだが、これは本書リストのパターンでもある。ワイルドな子供というのは保守的な父親に反抗しながら、同時に、愛情を求めるものだ。学生時代の友人も、「あいつは親に認めてほしかったんだよ」と証言している。[*4] しかし父親とよりよい関係を築きたいという願いは、この芸術家の短い生涯のあいだずっと、いらだちとせつなさしか生まなかった。

バスキアは子供のころ車にはねられ、脾臓を摘出しなければならないほどの怪我を負った。成長期を大きく左右した出来事だ。療養中母親がいろんな本を持ってきてくれたのだが、そのなかにあったのが『グレイ解剖学』だった。掲載されていた図版が（キャプションの文章や小難しい専門用語も含めて）、芸術家としての彼に多大な影響をおよぼした。のちの彼の絵には、解剖学や医学のモティーフがくりかえし登場する。[*5]

家での生活はバスキアにとって理想的なものではなかった。「父親が暴力を振るうんだってこぼしてたし、母親は精神的な病気で施設を出たり入ったりしてたからね」。[*6] 子供のころからの友人であり初期のコラボレーターでもあったアル・ディアスはそう言っている。

彼の幼少期に関して、いっこうに消えようとしない神話がある。都会の貧しい暮らしのなかで育ったという神話だ。疑いなくこれは、「グラフィティ・アーティスト」の出自に関するお決まりの先入観のせいだろうが、バスキア本人がそんなデマを広めたフシもあるようだ。父親はこんなことを言っている。「ジャン＝ミシェルはなぜだか、ゲットー育ちだっていう印象をあたえたかったようなんですよ。私はベンツに乗っていたっていうのにね[7]」。

くわえて、バスキアが幅広い教育を受けていたという事実も、とくに生前、評論家や半可通から見過ごされてきた。「彼が文化的な環境で育ったということを知らない人もいるようですね」と言うのはアート・キュレーターのエリナー・ネアンだ。「父親はハイチ出身の会計士で、母親はプエルトリコ系の二世でした。彼はとんでもない数のアートや展示物にふれながら育ったんです。セント・アンズという私立の学校にも通ってましたし、その後はシティ・アズ・スクールという実験校にも行きました。だから、とても教育のいきとどいた環境だったんですよ。比較的若いころドロップアウトしてしまいましたけどね[8]」。

街角に生きるグラフィティ・アーティストという決まり文句が、部分的にではあれ真実となったのは、彼が十七歳のときだった。バスキアは家出し、他人の家のカウチを渡り歩いたり、スザンヌ・マルーク（のちに彼の芸術的女神（ミューズ）となった）をはじめとするガールフレンドたちのところへ転がりこんだりして暮らした。やれることはなんでもやった。「もう絶対、家には帰らないって決めてたんだよ」と彼は言った。「永遠のホームレスになるつもりだったんだ」[9]。当時の彼は文字どおり文無しだったが、マンハッタンで生計を立てるという野望は変わらなかった。地下鉄を無賃乗車してあちこちに行った。そこまで困窮した理由は、自らそんな生きかたを選んだせいだと考えることもできるだろう。バスキアにとって、オケラ暮らしはロマンだった。「そうなったって、生き残るしかないじゃないか」と彼は言った。「マッド・クラブ（訳注：ロウアー・マンハッタンのトライベッカにあったナイトクラブ）のフロアでカネが落ちてないか、よく探したもんだよ」[10]。

バスキアはいつしかニューヨークで「ダウンタウン５００」のメンバーになっていた。「ダウンタウン５００」というのは、乱痴気騒ぎが大好きないろんなタイプのマンハッタン・アーティスト（音楽、ヴィジュアル、文学）が五百人ほど集まったコミュニティだ。彼らはみなバワリー・ストリート周辺を根城にし、アートだけで食っていた。あるいは、食っていこうと奮闘していた。プランB、つまり、昼の仕事につこうという考えは却下。オール・オア・ナッシングのロマンティックな創作スタイルが優先されたからだ。結果、「クール・キッズ」のコミュニティが形成され、そんなキッズたちは、どん底にあえぐ飢えたアーティストからデビー・ハリー（訳注：ロック・バンド、ブロンディのヴォーカリスト）などの有名人まで、多岐にわたる無数のパーティー好きを引きよせた。当時のニューヨークはこういった若者にとって魔法の街だった。若く貧しいアーティストが、九時から五時の定職につかなくても、マンハッタンでなんとか（程度の差はあっても）しのいでいけた時代だった。

「ＳＡＭＯ」という文字が人の目につきはじめたのもそのころだ。レンガの壁、高架下、地下鉄の側面。ダウンタウン５００も、正体不明のこのグラフィティ・アーティスト、ＳＡＭＯ（「また同じクソ（セイム・オールド・シット）」という意味だ）のことを噂しはじめた。今日の私たちが、謎のストリート・アーティスト、バンクシーのことを語るときと似た感じだろう——都会の名前落書（タグ）きの伝統をもっとおもしろいものへと引きあげてくれた、ある種の街の幻視者。もりあがりつつあったコミュニティに大胆な表現でその名を刻んでいたＳＡＭＯの正体とは、ジャン＝ミシェルとアル・ディアスだった。ドキュメンタリー作品『バスキアのすべて』でブラスウェイトは、こんな所感を述べている。「グラフィティをやることの目的はすべて、名声だったよ。特定のステイタスを得て、知名度をあげること。俺があのスペースをコントロールすれば、名をあげられる、みたいな感じだね[*11]」。野心に燃える若きバスキアのゴールは、まさにそこにあったにちがいない。

ＳＡＭＯのタグはグラフィティにしては風変わりだし、当時は特にそうだった。今でも通用する典型的なレタリングを使ったタグではなかったからだ。あのお決まりの手法と風船がふくらんだような字体で自分の名前を（ニックネームやストリート・ネームが一般的だが）書きつけること……言い換えればそれは、単なるエゴと縄張り意識だ。ＳＡＭＯにも同様の傾向はあったけれど、それだけではなかった。そこには奇妙な表現や思想や引用が存在していた。ライターのグレン・オブライエンの言葉を借りよう。「ＳＡＭＯのタグには内実があった。まるで詩だった」。

バスキアは最終的に、視聴者制作テレビや、ダウンタウン５００で開かれたさまざまな伝説的パーティーで、自分がＳＡＭＯであることを明かした。

バスキアにも、アート商売に足を踏みいれるときがやってきた。自分の作品を印刷したＴシャツやポストカードを売らなければ生活できなくなってしまったからだ。「俺の最初の絵は、街で見つけた窓に描かれたもんだったし、街で見つけたドアに描かれたもんだった」[★12]と彼は回想している。ガールフレンドの家の冷蔵庫の扉に描いたこともあった。絵の具の染みがあちこちについた服を着て街角に立ち、道行く人にポストカードやＴシャツを売っているバスキアを見かけるのは、珍しいことではなかった。あるときなど、アンディ・ウォーホルが食事をしていたレストランに入っていき、グッズを勧めたりもした。ウォーホルは実際カネを払ってポストカードを何枚か入手し、バスキアの芸術にはじめて光をあてた人間になった。

経済的には苦しかったのに、ふと気づくとバスキアは当時の文化と音楽の中心地にいた。こんな不思議な矛盾は、ダウンタウン500のメンバーにしてみればあたりまえのことだった――ニューヨークのシーンは成長しながら、権威主義的な芸術界を突き動かそうとしていた。

「彼は文無しでもスターでした」[*13]と言うのはグレン・オブライエン。駆け出しだったバスキアにカネをやって創作させ、その後デビー・ハリーに引き合わせ、バスキアがはじめてキャンバスに描いた絵を購入した男だ。

最初期のバスキアのキュレーターだったディエゴ・コルテス（1946年生まれ）が、PS1という独自のアート・ショウを始めた。バスキアのボールがゴールネットに滑りこんだのは、このショウのおかげだ。「白い壁と白人と白ワインばかり見てるのは、もううんざりだったんだよ」とコルテスは述べている。そんなふうに感じていたのは何も彼ばかりではなかったらしい。反抗的で自由奔放で他人の家のカウチを渡り歩いてばかりいるニューヨークのニュー・ウェイヴ・アーティストにも、同じ気分が芽生えつつあった。まさに、バスキアのような芸術家がいるべき場所、いるべき時代だった。

客はショウを見ようと、ブロックをとりまくほど長い列をなした。ディエゴ・コルテスは、バスキアの作品を見た人はひとり残らず、その場で心をつかまれた、と証言している。

ＰＳ１で才能を証明したバスキアに、アンニーナ・ノセイという伝説の画廊主が、所有していたソーホーのギャラリーにアトリエのスペースを作り、キャンバスや画材を買う費用を提供してくれた。昔ながらの画材とアトリエを手にしたバスキアは一挙に才能を開花させ、彼の作りだした作品は権威主義的な芸術界にも無視できないものになっていった。どうせ「ストリート・アート」だろ、と切って捨てるなんて、もはや不可能になったわけだ。初の個展を開いてくれたのもノセイだった。はじめて新聞紙上で名前が宣伝された。作品はすべて、一日で売れてしまったという。バスキアは二十四時間で六桁のカネを稼ぎだした。

ヨーロッパで作品が売れるよう手配してくれたのもノセイだ。バスキアは即売で十万ドルの現金を稼いだ。国境を越えて運ぶのが困難なくらいの大金だった。「俺たちをつかまえた警察は信じようとしなかったんだよ。荷物をいくつか太いロープでぐるぐる巻きにしたアフリカン・アメリカンが、ドラッグじゃなくて、自分の描いた絵でそんな大金を稼いだなんてね。何度か緊急電話をエミリオ（・マッツォーリ、アート・ディーラー）にかけて、それでようやく誤解がとけたんだ[14]」。

いったん人気に火がつくと、あとは一気呵成だった。そのあいだもバスキアの野心や競争心は衰えなかった。彼は芸術界での自分の成りあがりぶりをスポーツになぞらえ、しばしば、現在流行中のアーティストと「ボクシングの試合」をやっているのだと言った。

世界中で個展が開かれるようになった。二十一歳になったばかりだった。バスキアはたった一年で大金持ちになり、あらゆるタイプのコレクターが競って作品を買いもとめようとした。

バスキアがついに偶像（アイコン）となったことを象徴した写真がある。そこに写った彼は『ニューヨーク・タイムズ』紙の一面に掲載されたときとよく似た真新しいアルマーニのスーツを着ているのだが、そのスーツは絵の具のシミやハネですっかり汚れている。カネやモノに対する二面性をよく表した一枚だ。真に世界的な名声と富がバスキアを見つけ、もしくは、バスキアが名声と富を見つけ、そのあと彼はコンスタントに注目を浴び、大金を稼ぎ、有名人とデートし（たとえばマドンナ）、ファッションショウでランウェイを歩くようになった。一夜にして誕生したアート界のロック・スター。だが、名声が彼のゴールだったとしても、まだ野心は燃えていたし、社会正義への強い思いや体制への嫌悪感は以前のままだった。ガールフレンドだったスザンヌ・マルークの言葉を紹介しよう。

ジャン＝ミシェルにとってお金は武器でした——人間の偽善とか人種差別を暴くための道具だったんです。どこへ行くにもリムジンに乗ってたのは、ランＤＭＣみたいなヒップ・ホップ・スターのパロディーでした。彼らもそういうことをやってましたからね。ときには窓をあけて、外にいるホームレスの人たちに百ドル札を落としてやることもありました。バルベッタっていう、高級イタリアン・レストランでディナーを食べてたときのことです。ウォール・ストリートの銀行家たちが笑いながらこっちを指さして、「どうしておまえらがこんなとこで食べられるんだ？　おまえ、ポン引きか？　こいつはおまえの売女か？」って言ったんです。ジャン＝ミシェルは何も言わずにウェイターを呼んで、銀行家たちのディナーの代金を払いました。きっと何千ドルもしたと思います。そのあと、彼らのひとりがおずおずとお礼を言いにきたんですが、ジャン＝ミシェルは叩きつけるようにもう五百ドル置いて、こう言ったんです。「悪い、チップを忘れてたぜ」って。[*15]

バスキアと再会したとき、ウォーホルはポラロイドでスナップショットを撮り、それを使って作品にした。するとバスキアはおかえしに、ポラロイド写真の姿を模して、自分とアンディの絵を描きあげた。ウォーホルはその作業の速さに驚愕したという。衆目の集まるなかでの、ふたりのアーティストの奇妙でスピーディーなやりとりだった。

バスキアは気づいていたはずだ。アンディとの親密な交流は、キャリア上のトロフィーでもあったが、同時に、真の友情に裏づけされたものでもあった。そこには疑いなく、最初の一瞬から、おたがいへの深い理解があった。

当時、シーンの中心にいた人々が集った場所に、スタジオ54という悪名高きクラブがある。このクラブについてはいささか解説が必要だろう。ウォーホルは欠かせない常連だったが、どんな地位にあるどんな人間だろうと主役になれる場所だった。私自身何度も出かけ、いろんな状況でふたりの紳士にお目見得したが、悲しいことにジャン＝ミシェルとは、アンディほど親しくつきあったとは言えない。54へ行くと、アンディが近づいてきて二言三言声をかけてくる。しかし彼はそのあと再び目立たないところへひっこんでしまう。覚えているかぎり、ほかの客のように派手な服を着ていたことはない。カウンターカルチャーの中心人物とは思えないくらい保守的でカジュアルなスーツ姿だった。そしてトレードマークのあの髪型。私が誰を腕にぶらさげていようと、彼はただ見まもることを好んだ。おしなべて、人を観察しているのが好きだったのだろう。誰がやってきて誰が出て行き、誰が誰にどんなことをしているのか。54はクレイジーな場所だった——大音量で音楽が鳴り、油圧式リフトで床から持ちあげられた客がみんなの頭上でキラめくスターに馬乗りになり、あらゆる性的信条を持った人たちがイチャつきながらふれあい、ふれあう以上のことをし、誰もが最高に楽しんでいた。なのにアンディの印象はいつだって、孤独な人間のそれだった。バカ騒ぎのまっただなかで、はしゃぐやつらと同じテーブルにつき、彼はただ……眺めていた。批判的でも覗き見的でもないまなざしだった。私にとってアンディはいつもやさしく、無垢な人間に思えた。54で何が起きていようが、私はふと気づくとアンディに視線を向けていた。そこには、何度交誼を結ぼうと、まるでアートでも見るようなまなざしでこちらを見ているアンディがいた。誰に対してもそうだったのだろう。アンディはある意味、人間のコレクションでもしているみたいだった。だからバスキアがシーンに姿を現したとたん心から魅せられ、夢中になったわけだ。

バスキアは、当時流行の先端だったミニマリズム運動を嫌悪していたらしい。私もそんなアートには耐えられなかった。ただ白とか黒を塗っただけの、何も描かれていないキャンバス。床に置かれたなんの変哲もない箱。そういう類いのシロモノだ。退屈で、不毛で、医学的。そんなオツにすました世界はバスキアを受けいれず、仕切りの向こうの隔離されたサブジャンルへ押しこめようとした。彼はニューヨーク近代美術館とホイットニー美術館に巨大な作品を寄付しようとしたが、どちらからも「スペースに値しない」と拒否された。ハーブ・シャーとレノア・シャーはバスキアと親しかった初期のコレクターだが、こんな証言をしている。

彼は過去の伝統を打ち破った天才でした。キュレーターたちは、彼を美術史の物語のなかへ押しこめようと苦労してましたね。亡くなる半年ほど前のことですが、彼が、ニューヨークのメジャーなギャラリーに自分の絵を飾ってほしいと言ったことがあったんです。だから私たちは、持ってる作品をいくつか近代美術館やホイットニーに寄付しようとしたんですが、どちらからも断られてしまいました。興味なし、でしたね。ジャン＝ミシェルが亡くなってからは、当然のように、どちらもあわてて作品を買いにきましたけどね。人種のことが大きかったんでしょう。コレクターにはよく、彼はとてもかしこい人間だった、っていう話をしたものですが、いつも彼らは「それって、ズルがしこいってことですかね？」って訊いてきました。だからこう答えたもんです。「いや、ただ、かしこかったんだよ」ってね。[16]

こんなことを言うとお叱りを受けるかもしれないが、大衆のなかで大きな波を作りだそうとしているアートがあったとして、そんなアートを鑑賞する価値のないものだと決めつけるなんて、手前勝手の極みではないだろうか。その意味で芸術界が大きく変わったとは思えない。大衆は本能で理解する。そして芸術界は、ある種の客観的尺度とやらで価値判断をおこなうフリをする。だがほんとうは、誰も何もわかっちゃいない。真実は見る者の瞳のなかだ。バスキアは心にあるものを描いた。ただそれだけのこと。そしてうまくいった——多くの人が彼の絵を好きになった。美術館的権威はニブくていつも後手に回る。先を行くのは、本能で自然な流れを見つける大衆だ。彼らは作品を見たとたん、その場の直感で判断する。「正統的」な芸術かどうかなんて、関係ない。バスキアの作品は大衆にもインテリたちにもアピールした。そして前者は後者を不安にした。バスキアがホンモノだったことの証明は、まさにここに隠されている。

マドンナはふたりで過ごした時間を思いかえしながら、こう述べた。「バスキアはひとにぎりのエリートによってアートが評価されてるってことを、ホントに嫌ってた。いつも言ってたもの。キミがうらやましい、音楽のほうがずっとわかりやすくて多くの人たちに届くから、って」[★17]。これぞ、私好みのアーティストだ——人々こそ大切なのだということをわかってるヤツ。大事なのは大衆。象牙の塔なんてどうでもいい。

だが名声が高まるにつれ、大衆のなかで自由にふるまう彼の能力は制限されていった。

近所の仲間だったボヘミアン共同戦線とは距離を置き、ロサンゼルスに移った。彼が行ってしまったことをこころよく思わない人もいた。バスキアは、延々と続くバイヤー・リストの需要に応えるため、完全に仕上がる前に絵を売ってしまうこともあった。内からも外からも、とてつもないプレッシャーがのしかかってきた。彼はたった二、三年でホームレスから国際的スターにまでのぼりつめた。それは確かにエキサイティングでもあったが、自分の手に負えないことでもあった。

アート仲間でもありライバルでもあったジュリアン・シュナーベルは『レイディアント・チャイルド』でこう語っている。「現代においてはまちがいなく、それがジャクソン・ポロックだろうがフィンセント・ファン・ゴッホだろうが、自分で耐えられないくらいの過激な生きかたをしたアーティストがいれば、みんなそこにロマンを感じるんだろうと思うんだ。すると必ず疑問が浮かんでくる。それって、放っておいても実現する予言みたいなものなのか、ってことだよ。とくにバスキアのケースで考えると、やつは、悲劇的な最期を迎えたヒーローに、すごく意識的に自分を重ねあわせてたと思うんだよね[*18]」。

ここで私たちはあの邪悪な文化的固定観念（ミーム）が醜い頭をもちあげるのを、またしても目にすることになる。そいつは、プレッシャーを受けている二十代前半の早熟な若者の頭のなかへずるずると忍びこんでいく。野心にふりまわされ、ヒーローの足跡をたどろうとする若者。もし私たちが同じ立場にいて、同じバックグラウンドや欲望を持っていたら、おそらく同じことをしてしまうのではないだろうか。インスピレーションを求めて過激な体験へと自分を追いこんでいく——そんなふうに展開する物語は芸術の世界でとくに数多く見受けられる。

何より重要な側面は「インスピレーション」だ。ヒーローがインスピレーションへの近道として指し示したのが薬品や薬物だったとしたら、それにしがみつく以外の方法など考えられるだろうか。学校時代の友人だったマーティン・オベールは、バスキアとかわした不吉な会話を覚えている。このような物語の展開がどれほど魅惑的であり、どれほどの感染力を持っているか、垣間見せてくれる逸話だ。「あいつは絵の具だらけで震えてたよ。ヘロインをやってるんだ、って言ってた。そして、そういうのって普通はよくないことなんだろうけど、でも俺は、創造性にいたる真の道は燃え尽きることだって信じてるんだ、ともね。ジャニス・ジョプリンとか、ヘンドリックスとか、ビリー・ホリデイ（1915-1959）とか、チャーリー・パーカーとか、そういった人たちのことを話してくれたよ。ぼくが『でもそういうやつら、みんな死んじまったじゃないか』って言ったら、あいつは、『もしそうしなきゃいけないんだったら……』って答えたんだ」[*19]。バスキアにしてみれば、材料はすべてそろっていた——プレッシャー、ストレス、不滅という盲信、悪名、そして、芸術的野望に対するすべての答えはドラッグだと喧伝する文化。彼を崖から突き落とすのに必要なのは、あとちょいと何度か、うまいカタチで背中を突いてやることだけだった。もちろんそれは、絶好のタイミングでやってきた。

最初のひと突きはマイケル・ステュワート（1958-1983）だった。若きグラフィティ・アーティストのステュワートは、深夜、地下鉄の壁に落書きをしていて逮捕された。そして、警察に殴打されて意識不明になり、その後病院で息をひきとった。

偶然だがステュワートは、まだ駆け出しだったバスキアをただ同然で何年も家に住まわせてくれたスザンヌ・マルークの知り合いだった。また、バスキアが頭角を現したころ、ステュワートもすぐ近くのコミュニティで活動していた。バスキアはこのニュースを聞くと、ひどく心を痛めた。地下鉄を乗り継ぐ若きグラフィティ・アーティスト――マイケル・ステュワートのいた人生の場所は、バスキア自身がほんの数年前にいた場所とそっくり同じだった。わかっていた。これだけとんでもない名声を得ていても、外へ出て昔のように壁にいたずら書きをしているところを警官に見つかり、もしその警官が自分のことを知らなかったら、同じ人種だったステュワートと同じ運命をたどるのは充分ありうることだ。バスキアには、警官がステュワートを殴っているところを描いた有名な作品がある。今後何世代にもわたって、こんな行為の不当性を伝えてくれる作品だ。

「みんなが、俺のことを知ってて、俺のほうを見てて、俺にヤラれたいと思ってる。そんな場所を出て、ただの黒人になって、他人から見たらほとんどホームレスにしか見えないような世界に戻るなんて、考えただけで最悪だね*20」

バスキアはこの事件やほかの多くの出来事の意味に気づきはじめていた。自分の肌の色が腹立たしくも、あちらこちらで人生やキャリアの障害になっていること。彼は言った。「俺に向けられた評価は、作品評っていうより人物評だよな。単なる人種差別主義者だよ、ほとんどのやつらはね——俺に関してお決まりのイメージを持ってるわけさ。『ワイルド・マン』とか『ワイルド・モンキー・マン』とか、クソみたいなことをいろいろ言いやがるんだよ[*21]」。バスキアは自分のことを「プリミティヴ」だとか「ワイルド・ボーイ」だとか呼ぶ無数の評やコラムにいちいち反応した。アンニーナ・ノセイのギャラリーに住んでいたことを「地下牢暮らし」と形容したインタビュアーさえいた。バスキアは見るからにムッとした表情を浮かべ（当然のことだが）、「どっかに閉じこめられてたことなんて、一度もないぜ[*22]」とやりかえした。

バスキアが使った最も象徴的なモティーフのひとつは、三つの頂を持つ王冠だろう。彼は作品のあちこちで、王の威厳と関連づけながら、黒人の遺産や伝統的シンボリズムと並列させて王冠を描いている。いわば、ブラック・キング。アメリカ文化においてなじみのないシンボルではない。

不穏な現実をいくつも突きつけられながら、それでも彼はドラッグをやりつづけた。わかったことがあった。芸術的名声という夢の世界は、許そうが許すまいが、金銭的価値を奪っていくためならなんでもやる、ということだ。「寄生虫が集まってきました」とスザンヌ・マルークは言う。「しまいには、彼、すっかり参ってしまって、人に会わないようになったんです――誰も覗けないように、黒い厚手の工作用紙を私たちのアパートの窓に貼ってね。有名なアフリカン・アメリカンだったから、CIAとかFBIに殺されるんじゃないかって心配してました。きっと、そういうことの多くはドラッグと関係してたんだと思います[*23]」。ダウンタウン500から遠く離れ、名声を得たバスキア。ふと気づけば、「ほんとう」の友はいなくなっていた。

「ちょっと世捨て人みたいな感じでいたくてね」と彼は言った。「ほとんどの人がやられるみたいに、人から持ちあげられたり見くだされたりするんじゃなくてさ。あいつら、いつだって（こっちを狙ってるじゃないか）。有名人タイプのビッグな人間で、そういう目にあってないやつなんてひとりもいないと思うね[*24]」。

この時期、バスキアが信頼できると感じていた唯一の友は、アンディ・ウォーホルだった。ウォーホルがバスキアにすっかり魅了されていたのも理由のひとつだろうが、そこには共感もあったのだと思う。バスキアは他人と信頼関係を築けずに苦しんでいた。ウォーホルほどの名声を誇る人間なら、似た経験をしたはずだ。バスキアは世界に注目される存在となり、奇妙な問題を抱えてしまった。ウォーホルはその気持ちを理解していた。

最終的にふたりは正式にコラボレートすることを決め、数多くの作品を作りあげた。それは、絵筆やペンを使ってたがいの作業を描きかえていくという、親密な芸術対決であり、笑いに満ちた視覚的応酬でもあった。

　共同作業はバスキアにとってカタルシスとなり、二種類の孤立感への答えとなったようだ。ひとつは、個人的な友人と疎遠になっていくという孤立感。もうひとつは、必ずしも自分を歓迎してくれない芸術界という大きな相手を突き動かそうとするときの孤立感。バスキアの言葉だとされる引用がある。「オレはブラック・アーティストではない。オレはアーティストだ」。あちこちで使われている引用ではあるが、彼がいつこの言葉を口にしたのか、実際口にしたかどうかも定かではない。とはいえ、この言葉が彼のメッセージの核心を突いていること、そして、私たちがどんなふうに彼を覚えていたいと思ったか、その支えとなったことは確かだろう。

　ところが究極のアート・ヒーローとの共同作業は（夢が現実になったような絶好かつ絶対のシナリオだったはずなのに）、奇妙にして派手なカタチでバスキアを傷つけることとなった。アンディはすでに下り坂だという評判が立ってしまい、そのせいで、バスキアとの共同作業も騒がれすぎだとケナされたからだ。悪評が先だって、作品は売れなかった。

　屈辱感に悲しみが重なった。ウォーホルはほどなく世を去った。

　あまりに完璧な嵐だった。ドラッグ、とくにヘロインがバスキアの唯一の逃げ場として再び猛威をふるいはじめた。同じころ、極端に孤立するようにもなった。昔からの友人やガールフレンドがいくらクスリをやめさせようとしても、バスキアは牙をむくばかりだった。
「薄っぺらな世界のプレッシャーのせいで、彼にはいろんなことが困難になってました。『ドラッグに殺されるぞ、って言われたからやめてみたら、今度は、おまえのアートは死んだ、って言われるんだからな』って言ってましたしね[25]」。

二年後、最後の個展に並べられた作品は、見るものを不安にさせるほど死と死にゆくことのイメージにあふれ、生命力に乏しく、陰鬱で沈んだものばかりだった。

それでも成功したことを証明したかったのだろう。晩年になると、頻繁に父親に会いに行った。ところが最後の数年、父親との関係も悪化した。ふたりのあいだの心の交流は永遠に失われてしまったかのようだった。

以前のガールフレンド、スザンヌ・マルークや昔の仲間を訪れようと、マンハッタンへ戻った。ディアスにも会い、「ＳＡＭＯからＳＡＭＯへ」と書いた絵を贈った。だが友情は時間と距離の彼方へ消えてしまっていた。今ではそのことを心から悔いているが、ディアスは贈られた直後に絵を売ってしまったという。「疎遠になったんだよ。ガキのころのダチって、そういうもんだろう。一九七九年ごろ、もうあいつは、俺がお上品なやつら(ビューティフル・ピープル)だと思ってたやつらのところにどんどん行ってしまったんでね[26]」。バスキアは出発点が見えなくなるほど遠くへ行ってしまい、同時に、ロサンゼルスという新世界からも疎外された。

一九八八年、バスキアはノーホーのアトリエで斃れた。死因はヘロインのオーヴァードーズだった。

二〇一七年現在の話だが、バスキアはアメリカのオークション史上、絵画最高額記録を持っている。『無題（1982）』という絵が一億一千五十万ドルで売れたからだ。[27] いつもカネのことばかりもちだすヤツだとお叱りを受ける私だが、もっと信頼の置ける芸術界の大物の言っていることを、一度だけでいいから聞いてもらえないだろうか。アンディ・ウォーホルの言葉だ。「ビジネスでうまくやるということが、最も魅力的なアートの形だ……カネを稼ぐことがアートであり、仕事をすることがアートであり、いいビジネスが最高のアートだ[28]」。結局のところ、バスキアの仕事は象牙の塔を打ち倒し、体制が引こうとした人種の境界線を乗り越えたのだろう。彼の描いた王冠は、その価値にしたがって、今や黄金色に塗りかえられるべきなのではないか。バスキアを知る人は、そうすればきっと彼が喜ぶと信じているはずだ。彼にはいつも言うべきことがあった。いつだって、あった。それがもう言えないのが、残念でならない。

＊1 『バスキア』 レオンハルト・エメルリンク（タッシェン アメリカ 2015）

＊2 『ジャン・ミシェル・バスキア：ザ・レイディアント・チャイルド』タムラ・デイヴィス監督 アートハウス・フィルムズ製作 88分（アメリカ 2010）

＊3 「バーニング・アウト」アンソニー・ヘイデン・ゲスト VanityFair.com 04/02/2014

＊4 同右

＊5 「アメリカン・グラフィティ：メモリーズ・オブ・ジャン・ミシェル・バスキア」ヘイリー・メイトランド Vogue.co.uk 09/20/2017

＊6 同右

＊7 「バーニング・アウト」ヘイデン・ゲスト

＊8 「ディバンキング・バスキアズ・ミスズ：キュレーター・エリナー・ネアン・オン・ホワット・ウィー・ゲット・ロング・アバウト・ザ・ミスアンダーストゥッド・アーティスト」ロレーナ・ムニョス・アロンソ Artnet.com 09/18/2017

＊9 『ジャン・ミシェル・バスキア：ザ・レイディアント・チャイルド』デイヴィス 2010

＊10 同右

＊11 同右

＊12 同右

＊13 同右

＊14 「アメリカン・グラフィティ」メイトランド Vogue.co.uk 2017

＊15 同右

＊16 『ジャン・ミシェル・バスキア：ザ・レイディアント・チャイルド』デイヴィス 2010

＊17 同右

＊18 同右

＊19 「バーニング・アウト」ヘイデン・ゲスト VanityFair.com 2014

＊20 『ジャン・ミシェル・バスキア：ザ・レイディアント・チャイルド』デイヴィス 2010

＊21 同右

＊22 同右

＊23 「アメリカン・グラフィティ」メイトランド Vogue.co.uk 2017

＊24 『ジャン・ミシェル・バスキア：ザ・レイディアント・チャイルド』デイヴィス 2010

＊25 同右

＊26 「アメリカン・グラフィティ」メイトランド Vogue.co.uk 2017

＊27 『ア・バスキア・セルズ・フォー・〝マインド＝ブロウイング〟・$110.5ミリオン・アット・オークション』ロビン・ポグレビン&スコット・レイバーン ニューヨーク・タイムズ紙 05/18/2017

＊28 「ザ・ビジネス・アーティスト：ハウ・アンディ・ウォーホル・ターンド・ア・ラヴ・オヴ・マニー・イントゥ・ア・$228ミリオン・アート・キャリア」アートインフォ HuffingtonPost.com 12/16/2010

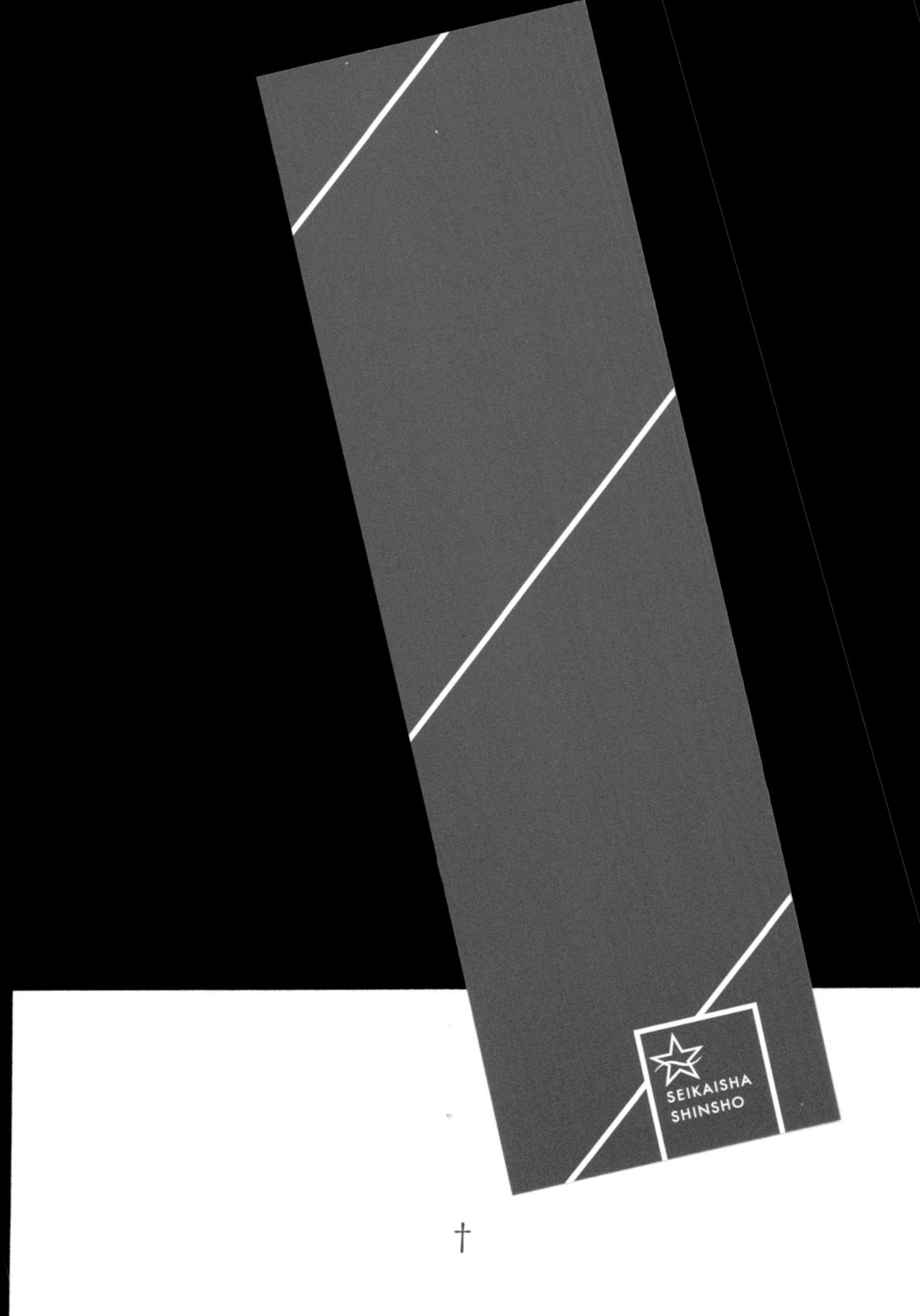

†

KURT COBAIN

カート・コベイン

1967–1994

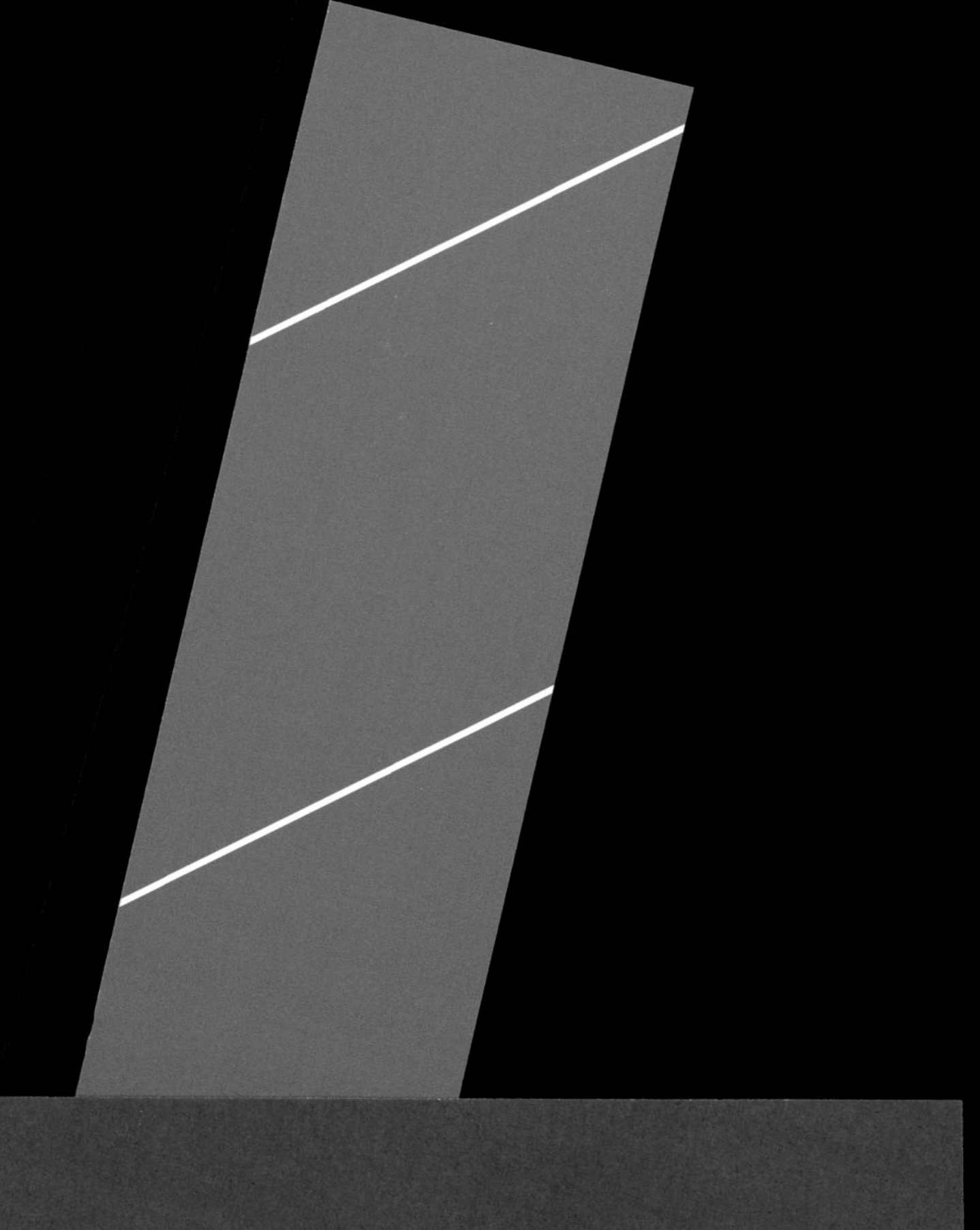

「赤ん坊を抱いてるのが世界でいちばんのドラッグだよ。俺たちには若いファンがたくさんいる。俺としては、ドラッグ使用をそそのかすようなことはいっさいしたくないね。ドラッグ使用をけしかけるようなやつはクソッタレだよ。俺はドラッグをやることを自分で選んだし、そんな自分を憐れんだりはしない。それでも、ドラッグについていいことなんてひとつも言えないね。あんなの、完全に時間のムダだよ」

――カート・コベイン[*1]

27クラブというテーマが俎上にあがるとき、最も頻繁に言及されるのは、まずまちがいなくカート・コベインだろう。悲劇の象徴としてロマン化され、ファンに崇められる存在。「苦悩するアーティスト」。遺書にあった「消えていくくらいだったら燃えつきるほうがいい」という言葉は、引用されすぎるくらい引用されてきた（彼が書いた文章だと思っている人もいるようだが、実はニール・ヤングの歌詞の引用だ[★2]）。コベインの死は、その音楽と同じくらいいくつもの波紋を呼んだ。彼の個人的な盛衰がグランジという時代の誕生や終焉と歴史的に呼応し、ひとつの世代の観点が彼とともに始まり彼とともに終わったように思えたからだ。ほかの音楽ジャンルだったら議論の余地はいくらでもあるが、グランジに関して言えば、首領は疑いなくひとりだけ。カート・コベインだ。

一九九三年、私たちは単純に楽しみたくて、キッスのカバーをやりたがっているアーティストを集めてオムニバスを作ろうとしていた。ガース・ブルックス（1962年生まれ）、レニー・クラヴィッツ（1964年生まれ）、スティーヴィー・ワンダー（1950年生まれ）。ほかにもたくさんの人々が参加してくれた。もちろん制作中には、レコード会社がアーティストの専属契約をふりかざしてあれこれ難癖をつけてきたが、それでもなんとか完成にこぎつけた。

ファンが作ったキッスの海賊盤トリビュートを聞いたことがあった。そこで我々の『ドゥ・ユー・ラヴ・ミー』のトラッシュ的でパンク的なすばらしいヴァージョンを披露していたのが、ほかならぬニルヴァーナだった。最高だと思った。確かに、斜に構えて私たちをからかうような雰囲気はあったが——当時、オールド・スクールなマッチョ・ロッカーはグランジ・ムーヴメントの天敵だった。だが私はそのことを喜ばしく思っている——すばらしいカバーであることは否定しようもなかった。

九〇年代は過渡期だった。ベテランのバンドが、パンクの流れをくんだロックをやる低予算バンドにとってかわられようとしていた。その意味で最大のインパクトをあたえたのがニルヴァーナだ。彼らのソングライティングや音楽的才能が群を抜いていたことは否定できない。

そこで私は彼らを捜しだし、キッスが企画しているカバー・アルバムへの参加を呼びかけようとした。私は人の居場所を突きとめたり電話をかけたりするとき、マネージャーやエージェントを使わない——プールの深いところへいきなり飛びこむ。うまくいくときも、いかないときもあるが、そうやって生まれる相互作用はいつだっておもしろいものだ。

先を続ける前にヒトコトつけくわえておきたい。ニルヴァーナ、とくにコベインは人をからかうのが大好きだった。コベインの親友、バズ・オズボーンは彼のことを「ダマシの名人」だったと言っている。[*3] そのことを覚えておいてほしい。

カート・コベインに電話をかけた日、回線の状態は絶好と言えなかったが、それでもなんとかつながった。コベインと話をしながら私は、彼がすごくいいヤツに思えて驚き、うれしくなってしまった。それは認めなければならない。「伝説的アンチ・ヒーロー」と呼ばれる人々にはよくあることだ。実際に会ってみると、自分と同じニュアンスの思いやりや人格を持つ普通の人間だったりして驚いたりする。話す、というのは、人間を理解するのに最も適した行為ではないだろうか。私は、彼らがどの曲をカバーしたいと思っているか、などということを話しはじめた。会話は友好的な雰囲気のまま、「実際に会って、そのときに決めようぜ」という言葉で終わった。私は礼を述べて電話を切った。

しかし悲しいことに、再びあいまみえるチャンスがやってくる前にカート・コベインは世を去ってしまい、ニルヴァーナが私の作っていたアルバムに登場することはなかった。私たちはどちらも多忙な身だった。結果、ある程度長いあいだ会話をかわしたのは、この電話のときだけだった。

それでも私は、何年もたってからだが、残されたニルヴァーナのメンバーの記事やインタビューを読みはじめた。なかに、ニルヴァーナでギターを弾き、その後もデイヴ・グロール（1969年生まれ）やフー・ファイターズとプレイしたパット・スミアの記事があった。その記事を読んで、妙な気持ちになった。彼が私の電話を覚えていて、自分がコベインのフリをして話をしたと言っていたからだ。ほかのメンバーは、はっきり聞こえるほど、うしろで大笑いしていたという。最初から最後まで私をからかっていたのだということだった。ザンネンでした、またどうぞ、ってわけだ。今にいたるまで、あれがほんとうにコベインだったのか、それともスミアの冗談だったのかはわからない。いつかミスター・グロールに真実を明かしてほしいものだ。それでも私がこの逸話を持ち出したのは、彼らのもうひとつの側面をわかってほしかったからだ。とくにコベインのこととなると、このような側面は絨毯の下へつっこまれがちになる。ニルヴァーナはおかしなヤツらだった。権威とか有名人、大衆の崇敬を集めている人やモノすべてを、冷笑的で皮肉な態度でからかうのが好きだった。バンドのどんなTVインタビューを見ても、それはよくわかる（コベインは何もかもを軽蔑し、バカにしているように見えた）。彼は自分の目の届くところでは誰にも尊大な態度をとらせなかったし、威張りちらすようなふるまいをさせない男だった。こういったことはニルヴァーナの遺産のチャーミングな部分ではないだろうか（私がその被害者だったとしても、だ）。彼らはパンクのルーツを裏切らないバンドだった。コベインの最期がバンドのこんな明るい一面を隠しているのだとしたら、とても残念なことだ。彼を理解するには、このような、おどけたパンクとしての要素を頭に入れておくことが大切なのではないかと思う。

ニルヴァーナの成功とカートの没落の物語はこれまで何度も語られてきたし、詳しい伝記なら、私のような人間が書かなくてもほかにいくらでもある。だが要約は必要だろう。そこで私はディテイルをさぐるため、コベイン家によって認められた唯一のドキュメンタリー、ブレット・モーゲンの『モンタージュ・オブ・ヘック』に準拠することにした。伝記映画や暴露本には信憑性の低いものがあるし、そういった類いは今でもさかんに出まわっている。対してモーゲンのドキュメンタリーには、明確なゴールがある。神話をはぎとり、コベインをひとりの人間として見せること。それは私のゴールでもある。コベインのような存在に思いを馳せるとき、ほとんどの人はヒロイックなイメージを物語に忍びこませようとする。だがコベインはただの人間だった。ヒーローになりたいと思ったのかどうか定かではないし、そんなことがちらりとでも心をよぎったのかどうかもわからない。スペンサー・コーンヘイバーは『アトランティック』誌にこう書いている。

何か得体の知れない因果が、ひとりの人間を抽象的存在へと変えたのだとしよう。（中略）『モンタージュ・オブ・ヘック』はそういうものを排除することを目的として作られた作品だ。二〇〇七年、監督の（ブレット・）モーゲンはコートニー・ラヴの許可を得て、亡くなった夫の未公開レコーディング、手記、アートを入手したが、コートニーが出したささやかな指示のせいで完成にこぎつけるまで八年を要することになった。（コートニーの指示とは）

「彼のことをきちんと調べて、もうそろそろただの人間に戻してやり、彼が守ったと思われている価値観を聖なる場所から引きずりおろすこと——彼のまわりに作りあげられた怠惰なイメージだとか、どうしようもない神話をね」[*4]

コベインはワシントン州のアバディーンで育った。自殺やアルコール依存症の発生率が高いことで知られる町だ。そのことがコベインや、のちに起きる音楽的なムーヴメントに暗い影を落とした。しかしながら幼年時代の彼は、報じられているところによると、どこまでも聡明で明るく、エネルギーに満ちあふれた愛らしい子供だったという。幼いころから何より目立っていた個性とは、思いやりの心だった。彼は他人の幸せを思いやる子だった。

しばらくはいい感じだった——ノーマン・ロックウェルの描いた核家族的な「いい感じ」だ——が、長くは続かなかった。モーゲンはこう述べている。

母親のウェンディの言うところによれば、彼が二歳半から三歳になったころ、多動症の問題が表れはじめた。その年頃の男の子ってのは、たいてい多動的なもんだと思うけどね。彼が生まれたとき、両親はまだ若かった。十八歳と二十歳だったと思う。彼ら自身、実際的な意味じゃまだ赤ん坊だったわけだね。カートに多動症の兆候が見られはじめたのは、ちょうど妹が生まれたころだった。で、ふたりはカートを医者へ連れて行って、最初はリタリンを処方してもらった。でも効かないことがわかったんで、鎮静剤を試したんだが、それも効かなくて、今度は糖分を控えさせるようにした。誰に話を聞くかでちがうんだけど、カートのエネルギーっていうか、そういうものをコントロールしようとしていろんなことを試したらしいね。それにくわえて、ウェンディの話だと、(父親の)ドンはとくに、多動症的なカートのことをあつかいかねてた。息子のことをあざけったり、ときには頭を殴ったりひっぱたいたりしたようなんだ。[5]

カートが九歳のとき、両親は離婚。彼はそのことを「死ぬほど恥じていた」[6]らしく、以前にも増して感情を昂ぶらせるようになった。やがて彼は父親と義理の家族にひきとられた。実の家族といっしょにいたいという思いはいっこうに満たされなかったし、ほかの親族のもとへ行かされても、両親の関係が崩壊してしまったことへのいらだちは静まりそうになかった。妹のキムが彼のジレンマをうまく要約している。「兄は普通の状態を求めてたんです。ママがいて、パパがいて、子供たちがいて、みんな幸せ。そういう状態がほしかったのに、でも得られなかった。だから、そういう状態と闘うようになった。ほんとうにほしかったものと闘うようになってしまったんです」[7]。きっとそれは、防衛本能だったのだろう。拒絶にはさらに強い拒絶で対抗するしかなかったわけだ。幼いころの自分を包んでくれた伝統的な家族は奪われてしまった。屈辱感から逃れるには、それしか方法がなかったのだと思う。だからそんな家族像に反発した。バズ・オズボーンとの会話の録音が残っているのだが、そこでコベインは、ふたりで同じ高校へ行っていた最悪の時代を思い出しながらこう語っている。「最後の二か月は、もう学校なんて行かなかったよ。そのころにはすっかり自分の殻に閉じこもるようになってたし、とんでもなく反社会的になっちまったせいで、頭がおかしくなりそうだった。つまりさ、あんまり他人と違ってクレイジーだったせいで、俺はみんなからほっとかれたわけさ」[*8]。

増大する不安やパニック感を和らげるために頼ったのはマリファナだった。しかしそれは特効薬ではなく、ただの絆創膏にしかならなかった。「俺はかなりのコンプレックスを抱えこんでたね。一日中（ハッパを吸って）逃避してた。そうすればいつもの神経衰弱にならずにすんだからね。でもちょうどそのころ一か月ばかり、母親からの精神的虐待がひどくなっちまってね。ハッパなんてもう、トラブルからの逃げ場でもなんでもなくなっちまった。それで、酒を盗んだり店のウィンドウを割ったりっていうひどい悪さをするようになったんだ。俺にはもう何もかも、どうでもよかったんだよ」[*9]。コベインが自殺を口にするようになったのは、このころだ――親友のバズ・オズボーンが主張するようにそれがただのシャレだったのか、マジだったのかは判断が難しい。

　コベインは生涯ずっと、原因不明の胃痛に苦しめられていた。ときに激しく痛むこともあったらしい。その痛みを和らげるためヘロインに走ったのだと言う人もいるし、オズボーンのように真逆の意見を述べる人もいる。「あいつは同情を引きたくて仮病を使ってたんだよ。ドロドロになっても言い訳ができるしね。そりゃ、吐いたりしてたさ——ヘロインをやってるやつってのはそういうもんじゃないか——嘔吐するんだよ[10]」。『モンタージュ・オブ・ヘック』によれば、カートは十代のはじめ、イジメにあったあと、線路に寝て自殺をはかったが、汽車が隣のレールを通っていったおかげで命拾いをしたという。しかしながらオズボーンに言わせれば、これもまたコベインの「ダマシの名人」ぶりを示す逸話でしかない[11]。

「内視鏡を呑むたびに炎症で赤くなった部分が見つかる。歌えば咳と血がいっしょに出てくる。こんな生活なんてイヤだった……だから自分で治そうと思ったんだ[12]」とコベインは述べている。また、手記にはこんな記述もある。「五年のあいだ毎日毎日、胃の痛みが治まらなくて、まさに自殺したいような状態にまで追いこまれた[13]」。

　程度の差はあれ、高校を出たあとのコベインの生活は貧しくみじめなものだった。しかし長いことひとりきりだったわけではない。同じく人生への不満を抱えていた若者たちのコミュニティができあがりつつあったからだ。こんなムードがひとつにまとまり、新しい種類のカウンターカルチャーの流れが作られていった——彼らがよりどころにしていたのは、ヒッピーのようなフリー・ラヴではなく、前の世代が停滞させた状況への不満と拒絶だ。コベインはパンク・ロックを発見した。「社会的にも政治的にも俺の気持ちを代弁してくれたんだ。俺が感じてたのは怒り、そして疎外感だったからね[*14]」。

バンドが結成された。最初はガレージ・バンドだった。居あわせた友達をとっかえひっかえ試しながら、何時間もジャム・セッションした。ただ人に逆らいたがっていただけで、実はなまけ者でしかなかったというコベインの評判は、的を射たものではなかったらしい。バンドメイトのクリスト・ノヴォセリック（1965年生まれ）はまったく異なる人間像を描いている。彼によればコベインは、使える手段をすべて使っていろんなものを作りだし、ペンや絵筆で描き、録音せずにはいられない真に創造的な男だった。「あのころあいつは清掃の仕事をしてたんだけど、いつだってアートに関係したことをやってたよ。たいていは破壊的な感じのものをね。ダラダラしてたなんて、とんでもない。あいつの頭のなかからはいろんなもんが飛びだしてきたんだ。それを表現しなきゃいられなかったんだよ[*15]」。

ニルヴァーナは最終的にツアーを敢行し、なんとか食いつなぎながらファースト・アルバムを発表した。アルバムはある程度成功を収め、バンドは以前よりいい形でツアーへ出られるようになった。初期のころでさえコベインは公衆の面前で恥をかくことを嫌い、自分やバンドをどういうふうに見せればいいか、細心の注意を払った。彼らは次第に評価を高め、レーベルや音楽産業の関心を引きよせた。

「こんなに期待を集めるなんて、恥ずかしいよな」と当時コベインは語った。「『次に来るのはこいつらだ』なんてレッテルをバンドに貼るなんて、ほんとうに表面的なことだよ。だってそういうのは最初から俺たちのゴールじゃないんだからさ。人がいくらそんなタグを俺たちにつけたがったとしても、それってほんとうに俺たちのやりたいことじゃない。そういうことになったら、こんなキャリア、自分たちでぶっ壊してやるよ」[*16]。

評判が高まりつつあったころ、デイヴ・グロールがメンバーにくわわった。そして次のアルバム、もっとポップ寄りの『ネヴァーマインド』とシングル『スメルズ・ライク・ティーン・スピリット』で、ニルヴァーナはその名を轟かせるバンドとなった。

二〇一四年、ノヴォセリックとともに『ザ・トゥナイト・ショウ』に出演したグロールは、インタビューで『ネヴァーマインド』リリース直後のツアーについて訊かれ、こんなふうに答えている。

最初ブッキングされたのは、九十人とか百五十人とか、それくらいの規模の小屋だったんだよな。みんなでバンに乗って、そういう場所をまわったんだ。アルバムが出たばかりで、ＭＴＶとかでビデオがかかってた。だから俺たちが到着すると、ショウを見ようとすごい大勢のファンが待っててさ。ゴールド・レコードになったときだって、まだＵホールのトレーラーがついたバンに乗ってたよ。何もかもあっという間で、すごくヘンな感じだったね[17]。

慣れるのはきっとたいへんだったにちがいない。『ローリング・ストーン』誌のインタビューで、コベインはこう語っている。「あんなに急に成功するなんて、突然自分の乗ってる車がフェラーリだってことを発見して、アクセルペダルが瞬間接着剤で床にくっついて離れないことに気づく、みたいな感じだったよ。友達は、あいつら、ちゃんとやってるのか、ってバンドのことを心配してたしね[18]」。

うまくやっていると言い張っていたコベインだったが、同世代の苦悩を代弁するメガホンとしての役目を突然担わされたことには閉口していた。ファンレターの整理を手伝っていた友人のニルス・バーンスタインはこう語っている。「他人から神様みたいにあつかわれると、あいつはホントにムカついてたよ……でも人はカートをエラいヒトみたいに持ちあげる。本人はそんなことなんて考えてないし、そんな人間じゃないって思ってるのにね[19]」。若い世代のスポークスマンであることについて尋ねられると、コベインは即座に否定した。「俺は自分自身のスポークスマンだよ。俺の言いたいことをマジに受けとめてくれるやつらがたまたま何人かいるってだけの話でね。そういうのって、怖くなるとき、あるよな。だって俺もほかの人間と同じように混乱してるんだからさ。俺は答えなんて何ひとつ持っちゃいない。クソッタレのスポークスマンになんて、なりたかないね[*20]」。

この手のメンタリティ――伝統的な成功の物差しを拒絶すること――は、若いころの私には理解不能だった。言うまでもないことだろう。パンクの精神(エトス)などという抽象的なコンセプトをあれこれ考える余裕なんて、私の理解の範疇を超えていた。ただ私は、こいつにカネをやって演奏させたいと思ってくれる人間がいることがうれしかっただけ。そして、耳を貸してくれる人がいれば必ず、あることないことベラベラしゃべるのが大好きだっただけだ。人それぞれ、ということなのだろう。私はちがう世代、ちがうタイプのコミュニティに生まれた。皮肉な意味ではまったくなく、テレビのなかのアメリカを心から愛したひとりの移民だった。「ザ・ドリーム」ってやつを鵜呑みにしても平気だった。それどころか進んで鵜呑みにした。だがコベインはおそらく、そんなアメリカに居心地の悪さを感じていたのだろう。郊外に渦巻く不安。内的で内省的な痛み。アーティストとしての良心の呵責。そういったものは私には響かなかった――私の育った家には銃弾の穴があいていた。そこから這いだすことで精一杯だった。ほかのことなんてどうでもよかった。すべての問題は相対的なものだ。物理的で根本的な危険があると、心の健康だとか「芸術的」問題だとか「自己実現的」問題だとかがあとまわしになってしまうケースはあるだろう。私たち一統は、物質主義や、富や、誇り高き資本主義的理想や、「ロック・スター」であることをこころよく受けいれた。願ったり叶ったりだった。しかしコベインは、容姿に恵まれ、ソングライターとしてもミュージシャンとしても才能にあふれ、成功を手にしながら、力を得ることも宝くじにあたるような幸運もこころよく思わなかった。私は彼の考えかたを理解できるような立場にいたことがない。要約すれば、子供時代の私が感じていたことは、経済ヒエラルキーにおけるレベルがいささか低すぎたということなのだろう。私には、コベインをあれほど苦しめたことに思いを致す余裕さえなかった。だからこそ当時、私をはじめとする七〇、八〇年代の人間の何人かは、曲が気に入っていたにもかかわらず、グランジというお題目を厳しい目で見ていたわけだ。新しいサウンドにとって、ひとつふたつ前の世代の人間は天敵だった。彼らはシアトリカルでショウマンシップたっぷりのやりかたに反旗を翻し、セックスや逸楽ではなく怒りや痛みを歌った。コベインはバンドをやる以前から、古い世代の音楽やアバディーンの人間から感じられたマッチョでウルトラ・ヘテロなメンタリティを嫌っていた。十代のころ、特定のタイプの人々からイジメやプレッシャーを受けたことを恨んでいた。だから、古い価値観に染まった音楽になじめなかったとしても、なんの不思議もない。「マッチョなセックス話が男同士の会話のハイライトになるようなコミュニティのなかで、女と寝たこともない俺は、いつも嗤われていた[21]」。

内在する暗い思いを歌にするなんて、私の世代にはウケなかった考えだ。だがコベインの時代の人々の心には訴えかけた。コベインはリーダーになどなりたくなかったかもしれない。それでもレコードが売れたのは、人々が彼の主張やソングライティングに共感したからだ。最終的に大切なのはそこだろう。どんなメッセージを信じようとそれは人の勝手だが、コベインに才能があったことは明らかだ。それでも彼は軋轢――自分の信条と、企業的物質主義への嫌悪感と、商業的成功が生んだ軋轢――に苦しんでいた。好むと好まざるとにかかわらず、彼がとてつもない成功と影響力を手にしたことは事実だ。そして生涯ずっと、彼はそのことで苦しみつづけた。成功の頂点で幸せを見つけるなんて、良き生活の伝統的物差し（女性の視線とかファンとかカネとか）を心底嫌っていた人間にとって、ありえないことだったのだろう。たとえその幸せが手の届くところにあったとしても。

ノヴォセリックが最高にうまい形で要約している。「きっと、ひとりひとりが対処できる形で対処するしかないんだよな。突然有名になったことは、トラウマみたいなもんだった。俺だって、引きこもったり酒に溺れたりしたよ。でも俺はラッキーだった。ビールとワインだったからね。だけどカートは、ヘロインだったんだ[22]」。

コベインがなぜあんなに苦しんだのか、私のいるところからは理解できない。なぜなら、彼が不快に思っていた状況は、私にとってすばらしい状況だったからだ。しかしながら、それこそが大事なポイントなのではないだろうか。私たちは違う人間だ。人生経験も違えば、価値観も違う――人生は様々なメニューを用意している。みんなが同じオーダーをするとはかぎらない。名声や商業的成功などという料理は、コベインにとって、注文した覚えもなければ、呑みこみたくもないものだったにちがいない。

一九九二年、コベインは、妊娠中だったコートニー・ラヴとハワイでささやかな結婚式を挙げた。なぜあわてて結婚したのか、ノヴォセリックはこう説明する。「俺はある女とつきあってさ、その女と家を持ちたいと思ったんだよね。自分の家をさ。子供のころ住んでた家がもうボロボロだったしね。たぶんカートも同じことがやりたくなったんだと思う。家を作りたくなったんだよ。あいつの家や家族もバラバラだったからね[23]」。コベイン自身は一九九二年の『ローリング・ストーン』誌のインタビューで否定しているが、夫婦は再びヘロインをやりはじめたようだ。

のちにコートニー・ラヴはこう語っている。「彼はアパートでヘロインをやりながら絵を描きたがってた。そしてギターを弾くこと。それがあの人のやりたいことだった。あたしたちにはおたがいしかいなかったから、できるだけ早く家庭を作ることは、とっても大事だった[24]」。

残念なことに、コベインのヘロイン使用は、プロとしての生活やバンドメンバーの生活に悪影響をあたえはじめていた。『サタデイ・ナイト・ライヴ』の出番前のフォト・セッションで居眠りしてしまった、というものも含めてたくさんの逸話が残っている。[25]

タブロイド紙は、ふたりがラヴの妊娠中にもヤクをやっていたというゴシップを書きたてた。コベインやラヴはホームビデオを撮影し、手紙を書いて、マスコミがどれだけ「悪辣」であり「寄生虫」であるか告発した。[26] 当然ながら、マスコミに注目され、恥をかかされることは、コベインのセルフメディケーションにとってなんのプラスにもならなかった。メディアが毎日毎日「不可避的自殺行為」についてあれこれ言うことをどう思うか、と尋ねられた彼は、自分の人格（と習慣的薬物使用）の原基となった子供時代の不安を思いおこしながらこう語った。「学校で始終からかわれてる子供みたいな気分にさせられるんだよ。もしくは、誰とでもヤる女生徒とかね[27]」。

ラヴが妊娠中もヘロインを使用していたという『ヴァニティ・フェア』誌の記事に基づいて、児童福祉局が新生児を保護しようとしたが、コベインとラヴはほどなく親権をとりもどした。我が子の誕生はコベインにとって人生を変えるほどの出来事だった。彼はこんな文章を書きのこしている。「子供を守る権利のために死ぬまで闘おう。自分を愛してるよりおまえを愛してるんだって、何があろうとあの子に伝えよう。それが父親の義務だからじゃない。

俺がそうしたいのは——愛しているからだ[28]」。

　このころのコベインにとって、唯一幸せを感じられるのは、自分で建てた家でコートニーや赤ん坊といっしょにいるときだった。外の世界では、無数の偏執狂や音楽ジャーナリストどもがうろつきまわり、最高にダーティーで恥ずかしいスクープをつかもうと躍起になっていた。子供をめぐる闘いは延々と続いた。夫妻は親権を保つため、定期的に尿検査の結果を提出しなければならなかった。

『イン・ユーテロ』を発表するころには（冒頭の曲『サーヴ・ザ・サーヴァンツ』の歌詞には、タブロイド紙の報道を魔女狩りになぞらえたような部分もある）、鬱と妄想のスパイラルが猛威をふるい、コベインは幻覚や否定的感情とセルフメディケーションのあいだを行ったり来たりするようになっていた。母親のもとへ帰るようにもなったが、それは彼女の言葉を借りれば「逃避」だった。傷だらけになってうとうとしている息子のことを母親は、またしてもあの言葉を使って表現している——「恥じていた[29]」。幼いころからコベインが慣れ親しんできた感情だ。

　私には依存症の経験がないので、このような状況を共有することはできない。それでも、奇妙な状況だったことは想像できる。彼は外の世界から投げつけられる言葉に大きく左右される人間だった（私は幸運にも、これまでずっとその手の言葉を無視してこられたが）。そんな人間の作ったアルバムが発表直後から爆発的に売れて評論家からも賞賛された。なのに、同じ評論家が、ホメたそばから彼のスパイラルをさらに下向きにさせるような言辞を弄した。他人の反応に敏感だった男にとって、こんな矛盾したメッセージはおそらく耐えがたいものだったにちがいない。

ニルヴァーナはMTVで『アンプラグド』というコンサートをおこない、ライヴ録音も残した。今日でも、この手のものとしては出色だと讃えられるライヴだ。すべてをさらけだしたような、嘆きと痛みに満ちたコベインのヴォーカル——苦しげに震える声と、明らかに荒れた喉。だがそれが逆に魅力を引き立てている。このセッションのハイライトとして広く認められているのがニルヴァーナ・ヴァージョンの『ホエア・ディド・ユー・スリープ・ラスト・ナイト』。レッド・ベリーが歌って有名になった黒人霊歌だ。この録音でコベインはレッド・ベリーのことを「俺の大好きなパフォーマー」と言っている。[30] ここでもまた、ブルースの影響は見過ごせない。歌のテーマは殺人だが、この曲を歌うコベインから感じられるのは恋の嫉妬だ。コートニー・ラヴは『モンタージュ・オブ・ヘック』で、浮気してやろうとしてコベインを深く傷つけたことがあると話している。[31]

『アンプラグド』のコベインは見るからに緊張しているが、それがさらにファンの愛情をかきたてた。「人は誰でもバカにされたり恥をかかされたりすることに敏感だからね」とモーゲンは『モンタージュ・オブ・ヘック』で発言している。「でも、彼の記録をつぶさに見ていくと、あまりに過敏だったように思うんだよ。批判も感じたし、賞賛も感じたし、すべてをちょっと真剣に感じすぎたんじゃないかな」。コートニー・ラヴも同意見だ。

あるときコートニーが、シアトルの自宅へ警察を呼んだことがあった。コベインが銃を持ってクローゼットに閉じこもってしまったからだ。彼女はのちに、この事件のことで自分を責めた。「彼がハイになってローマから帰ってきたとき、あたし、すっかり自分を見失っちゃってね。これまで生きてきて、ひとつだけやりなおせることがあるとしたら、あのときのことだと思う。ハイになって帰ってきた彼を、あれだけ怒ったこと。心から、あんなことしなきゃよかった、って思うもの。いつもどおり黙って受けいれてあげればよかった。あたしが怒ったせいで、彼、自分に価値なんてないって思っちゃったから」[32]（訳注：ローマから帰ってきたあとカート・コベインがハイになって病院に収容されたのは、コートニー・ラヴが警察を呼んだのとは別の日）。

その後コートニーは強硬手段に出て、コベインをLAのエクソダス・リカバリー・センターに入院させた。だが彼は入院して一日でフェンスを乗り越え、飛行機でシアトルへ戻ってしまった。コートニーや友人が行方を捜したが無駄だった。

四月八日の朝コベインは、シアトルの自宅で死体となって電気工に発見された。ショットガンでの自殺だった。血中からは高濃度のヘロインとバリウムが検出された。[33]

コベインとその「苦悩するアーティスト」としての個性を神格化するとき、私たちはひとつの疑問を忘れてしまう。一見あまりに答えが明白で、単に自明の理だと思ってしまうような疑問だ。確かに、コベインはすばらしいロック・ミュージックを作りだした。そして苦悩していた。だが、彼は苦悩したからすばらしいロック・ミュージックを作りだしたのだろうか。これまで書いてきたような個人的事情は、よい音楽を作るのに必要なものなのか？よい芸術を作りだしたり、伝説的なステイタスを得るために必要なのか？とあるインタビューでコベインは同じ疑問をぶつけられた。答えは示唆に富んでいる。「それって、コワい質問だよな。だって、たぶんそういうことが助けにはなってるだろうからね。俺だって、すっかり健康になれるんだったら、何もかもやめるよ。でもさ、いつもコワいんだよ。胃の問題がなくなったら、これほどクリエイティヴになれなくなるんじゃないか、ってさ」。[34]正解は彼自身にもわからなかったようだが、苦しむことが（このインタビューでは、とくに胃痛のことのみが語られている）アートを生みだすための必要悪であるというほのめかしに彼が完全に同意していたとも思えない。コベインが言ったとおり、それはコワい質問だ。

私は信じている。ほかの誰かが同じような個人的事情を抱え、同じような苦悩を感じ、同じようなドラッグをやったとしても、平均以下の音楽しか作れなかった可能性は十二分にある——誰の魂にも訴えかけず、どんな経験にもよりそえないレコードしか作れなかったかもしれないではないか。私たちのヒーローの多くが同じような道をたどって苦しい人生を送ってきたせいで、痛みや病は天才性と容易に関係づけられてしまう。しかしそれは偶発的な関係であって、因果関係ではない。もちろん、書くべき題材を持っていることは「助け」にはなるだろう。だがコベインの言葉を読んでいると、私には、彼がその才能にふさわしい価値を自分に見いだしていたとは思えない。彼には音楽的な観点があり、ソングライティングのスタイルがあり、人間くささと雰囲気があった。ヘロイン中毒や胃痛がなかったとしても同じだったはずだ。それこそコベインの価値なのではないか。コベインというひとりの男。外からの作用や災厄なんて関係ない。

若く有名なミュージシャンというくくりにおいて高い死亡率が見られることには、精神的な苦闘だけでなく、名声という要因も関係しているはずだ。名声ってヤツは、人間の弱さを狙ってプレッシャーをかけてくる。高収入でなければ続けられないライフスタイルの燃料（そして資金）となる。薬物依存や鬱や不安はどこにでもある現実だ。人生のあちこちに転がっている。だが創造性にあふれた人間がそういう危険な要素を持っていて、彼らの作りだしたものが大衆の琴線に触れたりすると、私たちはいきなりその人間の薬物使用に注目しはじめる。カート・コベインになれる魔法のクスリを探しているようなものだ。だがそんなクスリなどありはしない。なぜなら、クスリや注射器を使う前から、カート・コベインはカート・コベインだったのだから。彼の作った曲があんなにすばらしかったのは、血に混じった薬物のせいではない。血そのもののせいだ。あんな人間だったからこそ、歌は書かれた。彼にしか感じられない思いがあったから、彼にしか作れない音楽が作られた。物事ってのはこんなふうに眺めたほうが、みんながよくやるやりかたよりロマンティックではないだろうか。自殺や自傷は、苦悩する天才についてまわる必要不可欠な症状だと思われがちだ。しかし、コベインのそばにいて実際に迷惑をこうむりながらも彼を愛した人々は、そんなふうに考えていないし、本人もそんなふうには考えていなかった。晩年、ゴシップの嵐が狂乱状態に達したとき、彼はこんな言葉をもらしている。「みんな、俺に死んでほしいのかもな。それこそ古典的なロックンロールの物語だからね[*35]」彼は明らかに、一連の英雄譚からのプレッシャーを感じていた。根拠のないところから生まれ、なぜか人が共感するようになった英雄譚。だがグロールは友人でありバンドメンバーであった男の死について、神話もマジックも感じなかったと証言している。「俺の人生で起きた最悪の出来事だったと思う。『そうか、俺は今日目を覚まして、また一日が始まるんだって思えるけど、あいつにはもうそれができないんだな』って感じだったよ[*36]」

二〇一五年、『テレグラフ』紙は「カート・コベインは『苦悩する天才』ではなく、病に苦しんでいた」という記事を掲載した。この記事のなかで筆者自身、「以前は幼児性というものに、どこかクールさを感じていた[*37]」と述べ、こう書いている。「神話のおかげで何年ものあいだ無数のレコードが売れたはずだ。（中略）クリエイティヴな才能と苦悩する魂。それは同じコインの表裏だとぼくたちは教えられてきた[*38]」。筆者はこのあと、何が自分の考えかたを変えたのか説明してくれる。それは、二十四歳のとき鬱になり自殺を企てたことだった。自ら経験した苦しさは、誰がなんと言おうとカッコのいいものではなかった、と彼は言う。実際、精神的な病は「カッコいい悪いで言えば、肉体的な病とまったく同じ[*39]」だった。

銃で自殺する少し前、コベインは気管支炎で入院した。（中略）気管支炎は、ぼくたちの頭のなかでは、カッコよさと無縁のものでありつづけている。どれだけ多くのロック・スターがこの病にかかろうと、それは変わらない。「鬱による死」を「気管支炎による死」と同じように見ることはできないのだろうか。そうするべきだと思う。なぜなら、自殺をカッコいいと考えるのは、最悪の罪だと考えるのと同じくらい不健康なことだからだ。そういう考えこそ、ぼくたちの理解を妨げている[*40]。

この筆者によれば、治療法のひとつは単に会話することだという。ほんとうは胃病と同程度のセクシーさしか持ちあわせないものから神秘性をはぎとれば、精神的苦痛に対する一般の人々の態度は正しい方向へと大きな一歩を踏み出すはずだ。そうすれば、鬱状態をファッション宣言だと思っているような人間をなくすこともできるだろう。その手の輩は、ほんとうの意味で鬱と闘い、そこから逃れたいと思っている人を傷つけているだけでしかない。コベインは鬱や気管支炎や胃痛と闘い、自分で治療しようとクスリを使い、深刻な薬物中毒になっていった。そういう要素が彼を早すぎる死へと誘った。確かに、企業という装置に抗うパンク・ロッカーの最終戦争を思い描いていたほうが、ずっとロマンティックなのだろう。しかし真実はそんなところにはない。私たちが学ぶべき大切なことは、真実ではないか。27クラブの美化をやめること。早すぎる死の神話や礼賛が広がるのを食いとめること。私たちは、早すぎる死の原因がロマンティックでもセクシーでもないことを知るべきだ。礼賛するなら、死ではなく、生をこそ礼賛しよう。

ついでながら、コベインもきっと同意してくれると思う。彼は死へと誘惑するようなクラブにはいっさい加担しなかった。悪魔と闘ってはいても、それを美化しようとはしなかった。「ドラッグをやることに関して、わざわざ自分からあれこれ言ったことはない」と彼は言った。「ドラッグがカッコいいなんて言うやつは、最悪のクソッタレだよ。地獄があったらきっと落ちるね」。それでも人々はコベインの意志に反して、ドラッグを使う彼をカッコいいと崇めた。キム・コベインはこう回想している。「カートがいちばん恐れてたのは、自分がきっかけになったり影響したりして、子供たちがヘロインをやるんじゃないかってことでした」[*41]。だからこそモーゲンは、傷だらけになりながらまどろんでいる、ゾッとするようなコベインのホームビデオ映像を何度か作品に挿入したのだろう。彼は言う。

ああいう映像がなかったら、ぼくらもまたこの神話を喧伝してることになるじゃないか。カートがヘロインとかかわりを持っていたことは、みんなが知ってる。でもぼくらはその実態を見たことがない。彼のイメージを壊そうとしたわけじゃないし、祀りあげようとしたわけでもない。ただまっすぐ彼を見ようとしただけなんだ。幾重にも重なった神話を引きはがして、人間そのものを見せてあげれば、きっとその人が神話で描かれるよりもっと親しみやすくて、生き生きしてるんだってことがわかるんじゃないかな。このフィルムで見せたかったことのひとつは、コートニーに会う前からカートは問題を抱えてて、それはフランシスが生まれるより前だし、名声とかヘロインとかニルヴァーナよりずっと前だったってことなんだよ[*42]。

さてそろそろ、彼が何を求めていると言ったかを讃える時間だ。ドラッグや鬱を祀りあげることも、それらを背後の人間とイコールで結びつけることも、もうやめよう。ここにはひとつの教訓がある。私のような人間はとっくに学んでおくべきだった教訓だが、いくら遅くても学ばないよりはマシだろう。私は、子供たちに悪影響をあたえるのではないかと気にかけていたコベインを讃えたい。そして以前は彼を誤解していたことを悔やんでいる。コベインの言葉は確実に私の敬意を得た。誰かが個人的な問題を抱えてドツボにはまりこみ、まちがいを犯したからといって、必ずしもその誰かが悪影響をおよぼすとはかぎらないし、悪人であるということにはならない。彼もまた人間。それだけのことだ。

＊1「カート・コベイン（1992）：コベイン・トゥ・ファンズ：ジャスト・セイ・ノー」ロバート・ヒルバーン LATimes.com 09/11/1992

＊2「ニール・ヤング：ビーイング・メンションド・イン・カート・コベインズ・スイサイド・ノート・ファックト・ウィズ・ミー」NMEエディターズ NME.com 09/11/2012

＊3「バズ・オズボーン（ザ・メルヴィンズ）・トークス・ザ・HBO・ドキュメンタリー『カート・コベイン：ザ・モンタージュ・オブ・ヘック』」バズ・オズボーン Talkhouse.com 06/06/2015

＊4「エンブレイシング・ザ・ミス・オブ・カ

ート・コベイン」スペンサー・コーンヘイバー　TheAtlantic.com　04/24/2015

＊5　「カート・コベイン・スピークス、スルー・アート・アンド・オーディオ・ダイアリーズ、イン・『モンタージュ・オブ・ヘック』」ＮＰＲスタッフ　NPR.com　05/03/2015

＊6　『モンタージュ・オブ・ヘック』ブレット・モーゲン監督　ＨＢＯドキュメンタリー・フィルムズ制作　１４５分（アメリカ　２０１５）

＊7　同右

＊8　同右

＊9　同右

＊10　「バズ・オズボーン（ザ・メルヴィンズ）」オズボーン　Talkhouse.com 2015

＊11　「『90パーセント・オブ・〝モンタージュ・オブ・ヘック〟・イズ・ブルシ×ト』・セッズ・メルヴィン・ファウンダー」ミリアム・コールマン　RollingStone.com　06/06/2015

＊12　『モンタージュ・オブ・ヘック』モーゲン　２０１５

＊13　同右

＊14　同右

＊15　同右

＊16　同右

＊17　『トゥナイト・ショウ・スターリング・ジミー・ファロン』に出演中のデイヴ・グロール　04/14/2014

＊18　『ニルヴァーナ：インサイド・ザ・ハート・アンド・マインド・オブ・カート・コベイン』マイケル・アゼラード　ローリング・ストーン誌　04/16/1992

＊19　『モンタージュ・オブ・ヘック』モーゲン　２０１５

＊20　『ニルヴァーナ：インサイド・ザ・ハート』アゼラード　ローリング・ストーン誌　１９９２

＊21　『モンタージュ・オブ・ヘック』モーゲン　２０１５

＊22　同右

＊23　同右

＊24　同右

＊25　『カム・アズ・ユー・アー：ザ・ストーリー・オブ・ニルヴァーナ』マイケル・アゼラード（ダブルデイ　アメリカ　1993）

＊26　『モンタージュ・オブ・ヘック』モーゲン　２０１５

＊27　同右

＊28　同右

＊29　同右

＊30　カート・コベイン、ニルヴァーナ　『ＭＴＶアンプラグド』11/18/1992

＊31　『モンタージュ・オブ・ヘック』モーゲン　2015

＊32　『コートニー・ラヴ：ライフ・ウィズアウト・カート』デヴィッド・フリック　RollingStone.com　12/15/1994

＊33　「カート・コベインズ・ダウンワード・スパイラル：ザ・ラスト・デイズ・オブ・ニルヴァーナズ・リーダー」ニール・ストラウス　RollingStone.com　06/02/1994

＊34　『モンタージュ・オブ・ヘック』モーゲン　2015

＊35　「エンブレイシング・ザ・ミス・オブ・カート・コベイン」コーンヘイバー　TheAtlantic.com

＊36　「デイヴ・グロール：アイ・ニュー・カート・コベイン・ワズ・デスティンド・トゥ・ダイ・アーリー」NME.co.uk　11/10/2009

＊37　「カート・コベイン・ワズ・ノット・ア・〝トーチャード・ジニアス〟、ヒー・ハッド・アン・イルネス」マット・ヘイグ　Telegraph.co.uk　04/05/2018

＊38　同右

＊39　同右

＊40　同右

＊41　「カート・コベイン・スピークス」ＮＰＲスタッフ　NPR.org　２０１５

＊42　同右

†

AMY WINEHOUSE

エイミー・ワインハウス

1983–2011

「ただ感じるんだよね……考えない。
考えたら全然歌えなくなっちゃうから」[*1]

――エイミー・ワインハウス

ご年配の純粋主義者のなかには、ワインハウスをこのリストに入れることに違和感を覚える方もいらっしゃるだろう。多くの人にとって27クラブは、キャリアのピークで世を去ったミュージシャンだけでなく、ポップ・カルチャー史のある特別な時期、つまり六〇年代から九〇年代と関連づけられているはずだ。しかし時間がたつにつれ、ワインハウスをこのリストにくわえることはあたりまえになっていった。

というか、右の文章そのものが的外れだ。この手の会話をしたりするのも、あやまちでしかない。27クラブをいまだ文字どおりの「クラブ」だと見なすあやまち。彼女もまたクラブに属しているのか——そんな議論自体、誰かがこのクラブに入りたがっているという危険な前提に拠っている。だから、私自身モラル的に不快極まりないと思っている議論など、ハナからやらないことにしよう。

大事なのは、この若くて才能のある女性が二十代で世を去ったということだ。勲章やグラミー賞で讃えられるような死ではなかった。ロックンロール・ホール・オブ・フェイムの殿堂入り式典でもなければ、ハリウッドのウォーク・オブ・フェイムに名前入りのスターを刻まれるようなことでもなかった。彼女は人間であり、音楽を作り、そして若くして死んだ。

覚えているかぎりはじめてエイミー・ワインハウスを見、そして聞いたのはＶＨ１のミュージック・ビデオだった。ミュージック・ビデオはそのころとっくに往年の勢いを失い、生活のバックグラウンド・ノイズになりさがっていた。個人的に出版関係で文句を垂れたこともあるし、秘密でもなんでもないことだが、メインストリーム・ポップには白目をむいてあきれかえるしかないものも存在する（どんな呼びかたでも大差ないが、私に言わせれば、いわゆるディスコってヤツだ）。そういう音楽が長いあいだ食物連鎖の頂点に立ってきた。

だがある夜、バックグラウンド・ノイズが鳴っているときだった。ちょっと待て。このサウンドはなんだ？「この声。これが今の時代のアーティストだなんて思えないぞ」。そう思ったのを覚えている。

目をあげるとそこには驚くことに、すでに完成されたステージ・マナーを持つ新人シンガーがいた。声とペルソナの共存。タトゥーだらけの傷心。不良っぽい衣装——私はノックアウトされた。なんてすばらしいルックス、そして名前！　本名だなんてまったく知らなかった。ジョニー・ロットンという名前を聞いたときと同じ——マーケティングの天才が考えたのだと思った。彼女は生まれたときから完成していたかのようだった。ヘンドリックスと同類。スタイリスト不要、ステージ・ネーム不要。明らかに、こういうことをするために生まれてきた人間だった。

振り付けバリバリのディスコ・ボーイズを引き連れて失恋ソングを歌う甘々ポップ・プリンセスだったら、たくさんいた。だがこのワインハウスという存在は、そんなもの、はっきり拒否していた。私は心を奪われた。

彼女が歌で心を伝えるDNAを受け継いでいるのは、明らかだった——ダイナ・ワシントンとかビリー・ホリデイという偉大なる先達が持っていたDNAだ。そして彼女が、シナトラが世界最高のシンガーと呼んだトニー・ベネット（1926年生まれ）とデュエットするのを聞いたとき、この二十六歳（当時）の女性が音楽の巨人たちと肩を並べる存在であることは、私のなかで明白になった。本書リストの人々と同じだ。彼女の歌う姿を見たら、もう否定のしようなどなかった。

ワインハウスはロンドンで生まれ、R&B、ジャズ、ブルースといろんな音楽を聞きながら育った。大好きだったのはセロニアス・モンク（1917-1982）、キャロル・キング（1942年生まれ）、そしてトニー・ベネット。幼いころ流行っていたポップ・ミュージックとは何ひとつ接点を感じなかったという。「ポップ・チャートに入ってるような音楽を聞いてて、思っちゃったんだよね。『こんなの音楽じゃない。薄っぺらすぎる。くだらない。ほかの誰かに曲を書いてもらって、それを歌わなきゃいけないなんて』って」。彼女はそう言った。「今の音楽もそういう感じのものが多いけどね。あのころ作られたものって、全然新しくなくて、あたしとか、あたしの感じてることを表現してなかった[*2]」。まったく同感だと言わざるを得ない。自分で曲を書こうという決意は、彼女自身の言葉によれば、チャレンジだった。往年のジャズ・グレイツがまだ言っていないことを言えるのか、そんな新しさを自分が持っているのか、というチャレンジだ。

影響されるべきものに影響された人だという気がする。親族にはベテランのジャズ・ミュージシャンが何人もいた。おかげで幼いころから古い時代の音楽に囲まれて育ち、その影響下で新しいタイプのポップ・ソウル・ヴォーカルを作りあげていった。[*3] 手のかからない子供だったが、そんな彼女を変えたのが両親の離婚だ。父親は当時、十年近くも別の女性と関係を持っていた。ワインハウスの人格に目立った変化が表れたのは、彼女の記憶によれば九歳以降だったという。反抗的になり、ファッションも変わった。病院に連れて行かれ、最終的に抗鬱剤を処方された。彼女は言っている。「鬱ってのがなんなのか、あたしにはわかってなかったんだと思う。ときどきヘンな感じになって、違う人間になっちゃうのはわかってたけどね。でも、ミュージシャンならそんなもんじゃないのかな。だから曲を作ってたわけ。鬱で苦しんでるのに、はけ口の見つからない人ってたくさんいる――一時間ギターを手にして気持ちを晴らすことができない人がね[*4]」。

ロンドンの伝統あるパフォーミング・アート・スクール、シルヴィア・ヤング・シアター・スクールに通ったが、鼻にピアスを入れたりしたせいもあって退学になってしまった。[*5]

売れはじめるまで、歌が生計(たつき)の道になるとは考えていなかった。彼女にとって歌うことは、どちらかといえば個人的な楽しみであり、いつでもやれること、いつもやってきたことだった。頼れる収入源というより、セラピーとか薬のようなもの。[*6]「曲を書くのは、アタマんなかがぐちゃぐちゃだから。言葉を紙の上に書いて、それからそこに曲をつけて、よくできた、って思いたい――悪いものからいいものを作りたいんだよね」。[*7]

ワインハウスは自分をキビしく見ていた人だ。数々のインタビューで自分を「ブス」だと言っている。[*8] オスカーをとったドキュメンタリー『エイミー』の冒頭では二度ほど、彼女が録音スタジオでビデオカメラを持ち、友人でありマネージャーだったニック・シャイマンスキーとふざけあっているところが映しだされる。その映像で彼女は、スクリーンに映る自分を見て髪をなおそうとしながら、「あたしってブスだよね、ニッキー」と言う。[*9] すぐにこの手のことを口にする女性だったようだ。別の映像でも自分を撮りながら、煙草を吸い、ジョークを言ったり笑ったり歌ったりしたあと、突然言いはじめる――「あたし、すごい暗い顔してる」。[*10]

ブレイクのチャンスがめぐってきたのは、彼女の録ったデモテープを友人がレコード会社の契約担当に送ってくれたおかげだった。はじめて音楽出版契約を結んだときは有頂天になった。これでようやく母親の家を出て自分のアパートに住み、「一日中ハッパを吸って」曲が書けると思ったからだ。[*11]

どれだけ「ビッグ」になれると思うか、と尋ねられたときも、いつもどおり低い自己評価しかあたえなかった。「なれないって思う。絶対。あたしの音楽はそういう方向にないから。そうなればいいなと思うことがないわけじゃないけど、でも、全然有名にはなれないだろうな。そんなの耐えられないもの。たぶん、おかしくなっちゃう[*12]」。

自分の見てくれについては、ときに恥ずかしそうで自信なさげな彼女だったが、理由のない誹謗中傷には容赦なかった。見くだしたようなことを言われたり、まちがったことを言われたりすると、敢然と胸を張って個性を――最初のレコードからすでに完成していたあのペルソナを主張した。「あたしには自分のスタイルがあって、自分で歌を書いてる。これだけたくさん何かを持ってる人間につけくわえるものなんて、ほとんどないでしょ[*13]」。

リアルで生々しいソウルとゴールデン・ヴォイス。そんな評判はメディアの興味を惹き、彼女はその後大衆の注目を浴びた。ヒップ・ホップ・アーティストのモス・デフ、別名ヤシーン・ベイ（1973年生まれ）は噂を聞きつけて会いに行き、すぐ友達になった。

ブレイク・フィールダー＝シヴィルと出会ったのは、カムデンにある自慢の新しいアパートでだった。彼女はそこで、ザ・キルズやザ・リバティーンズなどに代表されるトレンディなミュージック・シーンに囲まれながら暮らしていた。フィールダー＝シヴィルとはくっついたり別れたりしながら、最後は結婚することになる。離れていることのできないふたりだった。フィールダー＝シヴィルは彼女と過ごしたはじめての夏について、こう語っている。「俺は自分を傷つけるのが好きだったし、エイミーも自分を傷つけるのが好きだった。たぶんそれが俺たちのありかただったんだよ。あいつが言ってた。こうなったのはパパがママのとこからいなくなったせいだ、ってね。俺は、わかるよ、って答えた。俺も九歳のときに手首を切ったことがあったからね。何がなんでも死にたいと思ったわけじゃないけど、ただ、ママには義理の親父と別れてほしかったんだ。俺とエイミーは同類だったんだよ[14]」。

これがふたりの恋愛戦争勃発の合図だった。以降彼らは「くりかえしおたがいを傷つけた[15]」。状況が悪化すると、ワインハウスは慰めようもないほど落ちこみ、心の痛みを麻痺させるため浴びるように酒を飲んだ。フィールダー＝シヴィルとの関係はその後何度も、ワインハウスの書いた有名曲のテーマになっている。

最初の大げんかの理由は、フィールダー＝シヴィルがワインハウスとつきあいはじめたというのに、当時のガールフレンドと別れることを拒んだからだ。おかげでワインハウスははじめて、リハビリテーションを勧められるほどの状態になってしまった。彼女も最初は、父親が認可してくれたらという条件つきでリハビリに同意した。ところがそのことをマネージャーに打診された父親は「リハビリなんてする必要はない。あの子はだいじょうぶだ」と答えた。エイミーはこう言っている。「実際パパが『おまえはだいじょうぶだ、行く必要はない』って言ってくれたの。だから答えた。『わかった、会うだけ会ってみるけど、それから先はやめとく』って[16]」。このあたりの事情は、のちに悪名を馳せた『リハブ』で歌われている——「もしパパがだいじょうぶだって思うなら」。

そのときの発言が『エイミー』で引用されると、父親のミッチは自分の描かれかたが気に入らないと不満をもらした。あの編集では、心ないイネイブラーに見えてしまうというわけだ（訳注：イネイブラーとは、身近な人の悪癖を看過・助長する人間を指す心理学用語）。ミッチの家族も思いは同じだったらしく、最初大歓迎していながら、のちにこのドキュメンタリーを否定するようになった。「彼らは最悪のやりかたで私に光をあてようとしたんだ」とミッチ・ワインハウスは『ガーディアン』紙に語った。「二〇〇五年だった。エイミーが転んでね——酔っぱらって頭を打ったんだ。あの子は私の家にやってきてね。マネージャーも来て『彼女をリハビリに連れて行かないと』って言うんだよ。でもあの子は毎日飲んでたわけじゃなかった。パーティーで飲みすぎたりするほかの子供たちと同じだったんだ。私は『リハビリに行く必要はない』と答えたことになってる。でもありのままに言うが、ほんとうは、今の、と、ころリハビリに行く必要はない、って答えたんだよ[17]」。

シャイマンスキーは同じ出来事についてちがう見かたをしている。ドキュメンタリーで先ほどの逸話が紹介されたときの彼の発言だ。

鍵になるような大事なチャンスを見逃した瞬間だったと思う。それでうまくいったはずだと言いたいわけじゃない。二度も三度も入院するなんてよくあることだからね。でも彼女はまだスターじゃなかったから、パパラッチに囲まれてはいなかった。（予定されていたアルバムの）『バック・トゥ・ブラック』のことなんて忘れちまえ、って言えればよかったんだよ。『バック・トゥ・ブラック』は出来上がらなかったかもしれないけど、そうすりゃ、彼女が世界じゅうから追いかけられる前に、専門家に診てもらうことはできただろうからね。[*18]

周知の事実だが、エイミーが『バック・トゥ・ブラック』を作ったのは、フィールダー＝シヴィルとの最初の別離を経験してすっかり落ちこんでいた暗い時期だった。しかし、ネガティヴな思いにさいなまれていたにもかかわらず、才能は見事に開花した。プロデューサーのマーク・ロンソンによれば、彼女は有名なタイトル曲『バック・トゥ・ブラック』を、歌詞まで含めてものすごいスピードで書きあげてしまったという。ロンソンはこう言っている。

「このドキュメンタリーで何より感心するのは、まずどうして彼女が有名になったのかを確認させてくれるってことだ——彼女は天才だった。このぼくでも忘れがちなことだけどね。やっぱりこれも忘れてたことだけど、ぼくが『バック・トゥ・ブラック』のコード進行をピアノで弾いてみせたら、彼女は一時間で歌詞を書いてきたんだ……腰をぬかしたよ。今じゃそんなふうに歌詞を書ける人間なんていやしない。『リハブ』もそうだったね。たった二時間で書いてきたし、ものすごく正直な歌詞だった。リハビリに行くよりダニー・ハサウェイを聞いてたい、なんて歌詞のポップ・レコードがあるなんて、誰が思う？　二〇〇六年の話だよ？　彼女の歌詞はものすごくオープンで、正直で、ポップ・ラジオじゃまず聞けないものだったね[19]」。

パラドックス、再び。すばらしい音楽を作っているあいだずっと、彼女は酒を飲みつづけ、大量の料理を注文してすべて平らげては、あとで下剤を飲んでおくからと言い訳した。仕事仲間がはじめて摂食障害を疑ったのはこのころだ。

それでもまだ彼女の個人的問題は、底なしかと思うほどのソングライティングや歌の才能に覆い隠されていた。ここで私たちが再び思い出さなければならないことがある。ほとんどのポップ・シンガーがたった一行でさえ自分の言葉を書くことを期待されていなかったとき、ワインハウスは自力で歌を作っていたという事実だ。統計学的に言えば彼女は離れ小島だった。まさに正しい形で突出した島だ。栄誉や金銭的成功、そして評論家筋からの賞賛が雪崩れこんできた。あの独特のジャズ／ポップ／ブルース・サウンドと、危うい魅力を持つキャラクターは、ドンピシャのタイミングと場所で登場したわけだ。しかし彼女のキャラクターは、いわゆるキャラクターではまったくなかった。彼女は最初から、真っ裸でむきだしの自分を見せていただけだ。シャイマンスキーが予言したターニング・ポイントがやってくると、パパラッチの群れが彼女をとりまいて離れなくなった。「あんなにうまくやってたのに、そのことを恥じてるみたいな雰囲気があったな」とモス・デフは回想する。「こんな場所でいったい何をやればいいいんだろう、みたいなさ」。

願いもむなしく、ワインハウスのプライバシーはタブロイド紙の格好の標的となった。本人の言によれば、それは、音楽を作っていく上で最もかかわりたくないことだった。彼女は言った。得意なのは「曲を作ること」[20]だけ。そのための時間と場所がほしかっただけ。ブレイク・フィールダー＝シヴィルとの関係が再燃しても、また口論をくりかえして心を痛めることになった。フィールダー＝シヴィルはその後、彼女にヘロインなどのハード・ドラッグの手ほどきをしたのは自分だと認めている。「楽しいと思ったんだよ。ネガティヴな感情を根こそぎ消してくれるからね」と彼は述べた。「だからエイミーも俺といっしょに試してみた。そこからはあっという間にハマっちまったよね」[21]。

玄人筋からの賞賛とファンの反応は、とくに『リハブ』の場合悲喜こもごもであり、苦悩するアーティストや苦悩から生まれるアートが大好きな大衆との関係性の核心に迫るものだった。もちろん『リハブ』はすばらしい曲だが、たいていの名曲がそうであるように、裏には闇がひそんでいる。当時、この曲や収録アルバムの『バック・トゥ・ブラック』は、歌とともに聞こえてくる暗いユーモアも含めてまるごと大衆に受けとめられた。人々は彼女といっしょに笑い、反抗し、ジャズ／ブルース／ポップの古典的なヴォーカル・スタイルと、同時代の誰にも似ていない奇妙で辛辣な歌詞を愛した。豪快な破天荒ぶりや、タトゥーや、派手なビーハイヴ・ヘア（そしてもちろん、あの声）が彼女をポップ・カルチャーの反逆のカリスマにした。しかしながら、リハビリを拒否する歌がそのアーティストを世に知らしめた最大のヒットだなんて、問題アリとしか思えない。断酒会などの集まりで「イネイブラー」という言葉を耳にしたことがある人だったら、痛いほどよくわかるはずだ。文字どおり世界中の人々が、健康面ではおそらく最悪としか言えない選択に正当性をあたえ、救いの手を拒んだ彼女を心ひそかに讃えた。もし私が彼女の立場だったら、そこに明らかな相関関係を認めないではいられない。ファンの声が聞こえるようではないか。「リハビリを拒否せよ。助けを拒め。さすれば汝の歌はさらにデカくなり、さらによくなり、さらに愛されるであろう」――そんな考えを誰かの心に植えつけるなんてあまりに危険なことだ。その誰かが助けを必要としているならなおさらだろう。だが、カリスマ性が健康や活力と比例しなければならないなどというルールはないし、むしろこの場合は逆だった。ワインハウスの私生活は炎をあげて燃えていた。彼女は炎をさらにあおって歌に変え、そして人々はその炎で暖をとった。彼女の抱えていた問題はリアルで厳しいものだったというのに、当時あまり真剣に受けとめられなかった。彼女はかしこくて、皮肉屋だった。最高の歌と曲を聞かせてくれた。だが、そのせいで私たちはうかつな解釈しかできなかったわけだ。

火に油を注ぐかのように、アルバムが大ヒットした直後、ワインハウスはフィールダー＝シヴィルと結婚した。タブロイド紙は彼女を追いまわし、あることないこと書きつづけた。また本人も見るからに酔っぱらったままステージにあがり、最後まで歌えなかったり、最初から姿を見せなかったりした。

ワインハウスがはじめてオーヴァードーズで倒れたのは二〇〇七年。「ヘロイン、コカイン、エクスタシー、ケタミン、ウィスキー、ウォッカ」[22]というとんでもないミックスだった。本書のリストですりきれるほど見てきたパターンだが、入院騒ぎは北米ツアーを延期させ、その後の出来事に暗い影を落とした。それからの彼女はギグに来てもボロボロの状態で、ステージで歌詞やバンドメンバーの名前を忘れることもあったし、歌えなくてブーイングを浴びることもあった。[23]

シャイマンスキーを含む親しい友人たちがなんとか介入しようとしても、うまくいかなかった。まわりにはいつもパパラッチがいたし、肝心かなめのときにお呼びでないフィールダー＝シヴィルが姿を現して邪魔したりしたからだ。「何時間もしないうちに『サン』とか『ミラー』とか『ニューズ・オブ・ザ・ワールド』の記者が全部の部屋を予約しちまってね。どんな会話の切れ端も、すべて『サン』と『ミラー』に書かれたよ。あいつらクソだから、電話かなんか盗聴してたのかもしれないね。俺たちみんなが外で輪になって座って、医者が彼女の血液を調べてる写真が掲載された。それにブレイクが寝室に忍びこんできてさ。次の検診で医者が調べたら、血中にまたヘロインが見つかったんだよ」[*24]。

ワインハウスがヘロインを打っていたことなど知らなかった友人たちは、すっかり困惑していた。だが新しくついたマネージャーは、ヤクをやっていても「多くのプロ」が完璧に仕事をしていると言って彼らを安心させようとした[*25]。彼女が発作を起こした直後であり、再びこんなことがあったら命の保証はしないと医者が言ったばかりだったというのに、アメリカ・ツアーを予定どおりおこなうためだったら何をやっても許されるような雰囲気だった。

友人のコメディアン、ラッセル・ブランド（1975年生まれ）も含めた多くの人々が介入して、再び彼女に治療を受けさせようとした。だがどの角を曲がっても、フィールダー＝シヴィルが影のようについてまわった。またマネージメント・サイドも、ある意味それが妥協案だったのだろうが、良識や医学的アドバイスにさからって、夫婦がいっしょにリハビリを受けることを黙認した。治療中に撮ったホームビデオでフィールダー＝シヴィルはふざけるようにして、ワインハウスの置かれた状況の皮肉さをからかっている。大ヒット曲であんなことを歌ったくせに、というわけだ。

リハビリを終えてまもなく、ふたりはまたそろって薬物をやりはじめた。ほどなくワインハウスは、どこにでも出現するタブロイドによって、公の場でフィールダー＝シヴィルと取っ組み合いのケンカをしているところをスッパ抜かれた。無数のひっかき傷を作った夫と、アイラインを滲ませた彼女の写真が掲載された。同年、フィールダー＝シヴィルは贈賄疑惑で逮捕されてもいる。「我が半身」から引き離されたワインハウスは、当然のごとくさらに悲しみに沈んだ。よくある言いかただが、彼女はフィールダー＝シヴィルがいないと生きていけなかったし、いたらいたで生きていけなかったのだろう。

ワインハウスというひとりの女性が深淵の奥深くへと彷徨（さまよ）いこんでいくなか、アルバムは複数のプラチナに輝く大ヒットとなった。イギリスとアイルランドのアーティストにあたえられるマーキュリー・プライズにノミネートされ、ブリット・アワードで二部門、グラミーで六部門の賞に輝いた。プレゼンターのひとりは、彼女のヒーローであるトニー・ベネットだった（一度のグラミーで獲得できるタイトル数でビヨンセのアルバムに並び、当時のタイ記録を作ってギネス・ブックに登録された）。『バック・トゥ・ブラック』は二〇〇八年、世界で二番目に売れたアルバムだ。[26] ところがそんなさなかでもワインハウスは、グラミー授賞式で自分の名前が呼ばれたほぼ直後、親友を脇へ連れて行って「ヤクがないと、こんなの退屈でしかたないよ」[27] とささやいたという。

この時点で、彼女の体重は極端なまでに落ちていた。[28] 医者の診立ては肺気腫と不整脈（原因は喫煙とクラック吸引だった）。夫が裁判によって再びリハビリ入院させられると、カップルはようやく離婚を申請した。

シャイマンスキーは言う。「まるで餌の奪いあいだったよ。突然、過食症で太った姿だとか彼女の薬物中毒をジョークにすることがクールになっちまったんだからね」[29]。餌の奪いあいというたとえは、言い得て妙だ。よろけるようにアパートを出る彼女めがけてピラニアのごとく殺到し、ときに文字どおり食らいつこうとするパパラッチの映像を見れば、それがよくわかる。いきさつを知っている人間にしてみれば、絶え間ないフラッシュや怒声が体調を崩して精神的に参っている若い女性の神経をみるみるすり減らしていくさまは正視に耐えない。しかしながら当時、この私でも覚えていることだが、彼女はただの「クレイジー・セレブ」として描かれていた。派手な服を着て派手な行動をとる人間。助けを必要としているひとりの若き女性であることなど、みんな忘れてしまったかのようだった。イギリスでもアメリカでも、ワインハウスは深夜のトーク・ショウの格好のネタになった。

雑音から逃れようと、ワインハウスは父親や友人を連れてセント・ルシアへ向かった。しかし、コカインやヘロインから自由になる幸運には浴したものの、引き替えに酒量はさらに増した。

しばしの休息を終えると、前にも述べたアイドル、トニー・ベネットとのライヴ・スタジオ・デュエットが待っていた。このセッションを記録したテープで、彼女はすっかり不安になって過剰な自己批判をし、純粋なファンとしての本性をあらわにしながら顔を赤らめている。それでもベネットは、彼女といっしょにやった仕事について、すばらしいことしか口にしない。

「私が出会った最高のアーティストってのは誰でも、ステージにあがる前は最高に緊張する人たちだったよ」とベネットは言う。「どれだけ深く感じてようと、さらに深く感じたくなるものなんだ。正直なレコーディングにするためにね。それがエイミーのやったことだよ」。[*30]

もしかするとこれがターニング・ポイントになり得たのかもしれない。以前の彼女は、クスリをやめさせようとする人全員に中指を突き立てた。だがこのときは、次のアルバムの制作意図を早い時期に表明している。彼女はもっとポジティヴな、愛にあふれた曲をやりたがっていた。「そういうアイデアが気に入ってるの。『あっち行け』みたいな曲を集めたアルバムをまた作りたいとは思わない」。ワインハウスは『アイリッシュ・タイムズ』にそう語った。「あたしって、すごくロマンティックな人間だから」[31]。このときこそ、自分の声と才能だけで充分だということを世界に見せつけるチャンスだったのだろう——声と才能があればこれからもやっていけるし、クリーンになれる。創作意欲が戻ってきて、しばらくは酒量も抑えながらいい時間を過ごした。新しいアルバムだとか、モス・デフやクエストラヴ（1971年生まれ）とのコラボレーションについてさかんに発言した。だが、そんな時期は長続きしなかった。「大いなる復活」をブチあげた新しいツアーや、彼女をスターにした『バック・トゥ・ブラック』みたいなアルバムをこれからも作ってほしい（それはつまり、『バック・トゥ・ブラック』が象徴する暗い日々をまた過ごしてほしいという意味でもあるだろう）という大衆からのプレッシャーが、再びワインハウスを追いつめていった。

アルコール中毒と摂食障害の悪影響で死期が迫るころには、世間の見かたはまっぷたつに割れていた。半分は彼女のカムバックと才能に期待する視線。もう半分はドラッグとアルコールの泥沼にいる彼女へ据えられた視線。活発で貪欲だったのは後者だ。顕微鏡を覗くような極端な形で私生活をさらされることに、ワインハウスはずっと苛立ってきた。それは、成功と悲劇のゾッとするほど倒錯した関係を象徴するものだった。同じパターンがこれほど広範囲にわたって浸透していることには、あきれかえるしかないのだが、死の直後、彼女はイギリスで女性アーティストとして同時にチャートインしたシングル数の記録を作って、またしてもギネスに登録された。[32]亡くなったあと彼女の弟は、ドラッグやアルコールの依存症に加えて過食症が健康を損ねた理由だったとほのめかした。[33]

ボディガードだったアンドリュー・モリスは、死期が迫ったころ彼女がこんなことを打ち明けたと回想している。「もし、誰にも邪魔されずに街を歩けるんだったら、何をなくしてもいいよ」[34]。こんなコメントを目にすると、冷水を浴びせられたような気分になってしまう。心構えのできていない人にとってタブロイド顕微鏡がどれほどの心理的なダメージをあたえるか、よくわかる言葉だろう。

私は息子の親友であるフィル・〝スパイキー〟・マイネールと話をした。彼は、オスカーをとったドキュメンタリー『エイミー』にも登場するし、ワインハウスもその一員だったカムデンのロックンロール・シーンの中心的存在でもあった男だ。ワインハウスは人間として、友人として、どんな女性だったのか。直接交流のあった彼が教えてくれた。以下のコメントには、精神的な弱さを抱えていたひとりの女の子がよく描かれている。だがワインハウスの弱さは同時に、他人を思いやることができるという強さでもあったのではないだろうか。

ぼくが覚えてるあの子は、いつもグループの笑わせ役でした。カムデンのロックンロール・シーンにやってきたのはまったく偶然です。住んでるところがたまたま近かったんでね。いつも人を笑わせようとしてたし、仲間うちじゃ人気者でした——でも恋愛となると、びくびくして恥ずかしがり屋でね。控えめで、こっちが面倒見てやらないといけない、みたいな。なんでも相手の思うとおりにさせてあげるような子でしたけど、でも、そうさせてあげてるんだってことはちゃんとわからせてましたよ。生きていくための仕組み、みたいなものをずっと探してたんだけど、結局見つからなかった。彼女がいちばん恐れてたのはひとりになることだったのに、悲しいことに、最期はそうなっちゃいましたよね。(大ブレイクを果たしたあとは)現実ってのが現実じゃなくなったんじゃないかな。ネットで中傷されたりすると、ちょっとしたものを万引きしたりしてたんですが、店の人も勝手にやらせてました。彼女にはそれが信じられなかったんです。誰かにダメだって言ってほしかったのに、でも誰も言ってくれなかった。あの子は音楽が大好きで、ジャズが大好きでした。だけど自分ではニセモノだと思ってましたね。「わざとこんな声を出してるってバレたらどうしよう」って。

家庭を持つことを夢見てました。そして、いつも自分のことより他人のこと。まわりのみんなの母親役でしたよ。いっしょに遊ぶと、いつもウチのベッドで寝るんですよね。端っこに、ネコみたいに丸まって。ひとりになるのが大嫌いだった。きっと、ママとパパのふたりがいっしょにいて、そのふたりに守られてる子供みたいに安心したかったんでしょう。最後のほうは音楽に専念するのをやめて、家庭を持ちたがってたのを覚えてます。で、レーベルを始めて、ほかのアーティストにチャンスをあたえて、コラボするんだ、って。いつも他人に輝いてほしいと思ってる子でしたからね。とてもかしこくて、アタマが切れて、音楽を愛してるおもしろい子。悲しかったのは、最悪のタイミングで名前が売れてしまったことですね。あのころロンドンじゃみんな――ほんとうにみんなが――ヘロインをやってましたから。なんでも極端に走っちゃう子でした……だからもし十年後だったら、きっと健康だとかワークアウトに依存してたはずですよ。今みんながやってるみたいにね。彼女はほかの何より、ドラッグ・トレンドの犠牲になったんだと思います。

普通に言われてるような意味のオーヴァードーズじゃありませんでした。ほんとうに小さくてか弱い子が、長いことシラフに戻ってたのに、ふとしたきっかけで転がり落ちてしまった。妙な寝かたをして息がとまったんですよ。誰かが隣に寝てたら助けてくれただろうにね。ぼくが悔やんでるのは、彼女がひとりきりだった、ってことです。

最も売れた彼女のアルバムは、つらい恋を背景にして作られた。しかし私がここから感じるのは、どちらかと言えば怒りだ。ワインハウスのまわりにあったイネイブラー・システムへの怒り。とくに別れた夫。マイネールの言う「ドラッグ・トレンド」に飛びついた男だ。おかげで彼女を助けようとしたほんとうの友人たちが近づけなくなってしまった。若くて弱い存在をハード・ドラッグのほうへと押しやるためには、特定の種類の人間が必要だろう。私たちはアーティストを悼むとき、少なくともある程度、フィールダー＝シヴィルのような人間の責任を問うべきだ。そのことの是非を議論する必要はないと思う。私は自分の誤解のせいで、失礼にして実に嘆かわしい発言を堂々とおこなってきた。依存症患者を人間とも思わなかったせいで、厳しく咎められてきた。当然だろう。しかし、ならば、実際のイネイブラーどもにも同じ反応を示すべき――否定と嘲笑を浴びせるべきではないだろうか。人に自傷行為を選択させるのは、まわりからのプレッシャーだ。イネイブラーこそアーティストの肩にとまった悪魔だ。そういったアーティストには、子供のころから孤独にさいなまれ、傷つきながら育ったケースが多い。最初から足場の危ういところにいて、ちょいと押されただけで深淵へと落ちていってしまう。個人的な意見を言わせていただければ、私たちがアーティストたちを必要以上に早く失ってしまうのは、こういったイネイブラーのせいだ。

前例となったジャニス・ジョプリンと同じように、ワインハウスの場合も、様々な痛みや問題や恋愛関係より、明らかにずっと大切なのは、彼女の声や歌詞や作品だ。健康状態がどうだろうと、ヘロインの前だろうと後だろうと、あの声は存在した。あれは彼女だけの声だった。ワインハウスは生きているあいだずっと、何よりまず自分の歌を聞いてほしいと願いつづけた。光り輝くような歌。誰もそんなことをしようとしない時代に、彼女自身が作った歌。何が彼女という人間を突き動かしたのか、少しでも理解しようとするなら、私たちはまず、彼女の願いを聞きとどけるべきではないだろうか。

*1 「エイミー・ワインハウス：ザ・ファイナル・インタビュー」ニール・マコーミック Telegraph.co.uk 07/23/2011
*2 『エイミー』アシーフ・カパディア監督 フィルム4制作 128分（イギリス 2016）
*3 「エイミー・ワインハウス」Biography.com 06/01/2018アクセス
*4 『エイミー』カパディア 2016
*5 「エイミー・ワインハウス・バイオ」ローリング・ストーン・エディターズ RollingStone.com 06/01/2018アクセス
*6 『エイミー』カパディア 2016
*7 同右
*8 「ア・バッド・ガール・ウィズ・ア・タッチ・オブ・ジニアス」ガイ・トレベイ ニューヨークタイムズ紙 07/27/2011
*9 『エイミー』カパディア 2016
*10 同右
*11 同右
*12 同右
*13 同右
*14 同右
*15 同右
*16 同右
*17 「ミッチ・ワインハウス・オン・エイミー・ザ・フィルム」エミーン・サネール TheGuardian.com 05/01/2015
*18 『エイミー』カパディア 2016
*19 「マーク・ロンソン：エイミー・ワインハウス・ドキュメンタリー・ショウケーシズ・『ジニアス』・シンガー」ダニエル・クレップス RollingStone.com 07/07/2015
*20 『エイミー』カパディア 2016
*21 同右
*22 「エイミー・ワインハウス」Biography.com
*23 「ディス・エイミー・ワインハウス・フッテージ・イズ・ショッキング!」Heat.co.uk 19/06/2011
*24 『エイミー』カパディア 2016
*25 同右
*26 「エイミー・ワインハウス」Biography.com
*27 『エイミー』カパディア 2016
*28 「エイミー・ワインハウス・バイオ」ローリング・ストーン・エディターズ RollingStone.com
*29 『エイミー』カパディア 2016
*30 同右
*31 「エイミー・ワインハウスズ・『バック・トゥ・ブラック』：10シングズ・ユー・ディドゥント・ノウ」モーラ・ジョンストン RollingStone.com 10/27/2016
*32 「リハンナ、レディ・ガガ・アンド・アデル・ブレイク・ワールド・レコーズ・ウィズ・ディジタル・ミュージック・セールズ」ギネス・ワールド・レコーズ GuinnessWorldRecords.com 09/07/2012
*33 「グロウイング・アップ・ウィズ・マイ・シスター・エイミー・ワインハウス」エリザベス・デイ TheGuardian.com 06/23/2013
*34 『エイミー』カパディア 2016

NOTABLE MENTIONS

†

ALAN
“BLIND OWL”
WILSON

アラン・“ブラインド・アウル”・ウィルソン

1943–1970

そして彼らもまた

†

RON “PIGPEN”
MCKERNAN

ロン・“ピッグペン”・マッカーナン

1945–1973

†

JONATHAN
BRANDIS

ジョナサン・ブランディス

1976–2003

「自分のなかにあと何回
『ボーン・フリー』をやる気持ちが残ってるか、
それはわからないね。
子役なんていつまでも
やってられるもんじゃないからさ」

――ジョナサン・ブランディス[*1]

27クラブにはこれまで述べてきたとおり、ラシュモア山の巨像のごとき威容を誇る著名な人々がいる。しかし、そうとも言えない人がこのカテゴリーに入っていることも事実だ。誰を入れるかは、クラブそのものの定義次第だろう。

前にも言ったが、こういう形で「クラブ」の「メンバーシップ」を語ることには若干のムカつきを覚える。特定の年齢で死んだことをある種の功績と見なしているみたいだからだ。このプロジェクトに関しては個人的な善悪の判断を避けてきたつもりだが、そんな態度には我慢できない。本書に出てくるほとんどの人々は、偶然亡くなったり、つらい経験をしたあとに世を去ったりした。しかし言うまでもなく、彼らにとって自らの死は勲章でもトロフィーでもなかった。それは、彼らを愛した人々にとっても同じだろう。

覚えておいてほしいのだが、「そして彼らもまた」と「27歳前後」のふたつの章でこれから語るのは、そこまで著名ではないかもしれないが、その生と死のパターンが「27クラブ」という曖昧な概念にあてはまる人々だ。このクラブにはみんなが知っている人もいるし、あまり知られていない人もいる。そして、正確に二十七歳ではなかったかもしれないが、ほぼそのあたりの年齢で命を落とした著名人もいる。

ほかに「クラブ」のメンバーとして挙げられるのは、たとえばクリスティン・ファーフ。ホールのベーシストであり、カート・コベインやコートニー・ラヴの親友だった女性だ。彼女はコベインが自殺したたった二か月後、ヘロインのオーヴァードーズで亡くなった。同じシアトルのグランジ・シーンにはミア・ザパータもいる。ザ・ギッツのリード・ヴォーカルだった彼女はギグからの帰り、レイプされ、殺害された。彼女に影響をあたえたのはほかならぬ、ベッシー・スミス、ビリー・ホリデイ、サム・クックといったジャズ・グレイツだった。[★2]

マニック・ストリート・プリーチャーズのギタリストであり歌詞も書いていたリッチー・エドワーズは一九九五年、二十七歳のとき行方不明となり、最終的に二〇〇八年、死亡宣告された。自殺だったのではないかと推察されるが、家族は今現在でも、いつか真相が明らかになるはずだと希望を抱いている。[★3] エコー&ザ・バニーメンのドラマー、ピーター・デ・フリータスは一九八九年、二十七歳のときにオートバイ事故で亡くなった。最近では、K－POPのグループ、シャイニーのリード・ヴォーカルだったキム・ジョンヒョンがやはり二十七歳で、「ぼくは内側から壊れてしまった」という書き置きを残して自殺している。[★4]

「27歳前後」だった人々も、ほかにたくさんいる。映画界ではヒース・レジャーとジェイムズ・ディーン。それぞれ二十八歳と二十四歳だった。音楽界ではパンク・アイコンでありセックス・ピストルズのフロントマンだったシド・ヴィシャスが二十一歳で自殺した。ラップ／ヒップホップ／R&Bの世界には二十七歳まで生きられなかった人々が大勢存在する。トゥパック・シャクールは二十五歳、ノートリアス・BIGは二十四歳で射殺され、アリーヤはわずか二十二歳で飛行機事故によって命を落とした。

言うまでもないことだし、そうであることを願うが、彼らもまた「注目に値する（ノータブル）」であるという言いかたは彼らの生を形容するものであって、早逝を形容するものではない。それに死亡年齢なんてささいなトリビアであり、カテゴリー化のときにだけ使われる数字だ。彼らを「注目に値する（ノータブル）」人間にする要素は、死であるべきではない。この意図をくりかえし明言しておくことは、やはり大切だと思う。「イントロダクション」の章で批判したあの暗鬱なロマンティシズムに屈しないためにも。

アラン・〝ブラインド・アウル〟・ウィルソン

本書リストには、ブルース・マニアという栄光のタイトルをほしいままにする存在が何人かいる。いちばんの代表選手は、（もちろん、ロバート・ジョンソンその人を除けば、だが）キャンド・ヒートの物静かで内省的ギタリスト＆ヴォーカリスト、アラン・〝ブラインド・アウル〟・ウィルソンだろう。白人でも、まっとうなブルースをやれる男。ブルースを知りぬき、ブルースの聖典を暗唱できる男。彼は当時も、そして特定のサークルでは今でも、名誉の勲章に値するミュージシャンだ。ホンモノのフィーリングを持ち、白人でありながら黒人のブルース・ヒーローたちに受けいれられたという事実はおそらく、アーティスティックな贖罪でもあっただろう。そういったことは疑いなく、ブルースというジャンルの創始期にあった悲惨な人種差別の歴史と結びついている。次に触れるグレイトフル・デッドのロン・〝ピッグペン〟・マッカーナンもそうだが、ウィルソンも百科全書的なブルースの知識でバンド仲間を驚かせるような男だった。

このリストで述べてきた人々のなかでブルース免許皆伝といえばウィルソン以外に考えられないが、彼の外見や立ち居振る舞いからはとてもそんなふうに思えなかったはずだ。白人、読書好き、ボストン大の音楽専攻——ウィルソンはロック・スターというより、音楽史家やアーカイヴィストのように見えた。ブルースという異文化で生まれた音楽に心を奪われ、ブルースとの絆に誇りを持っていた同時代人は（ストーンズを含めて）たくさんいた。ではウィルソンは、どうやって彼らと張りあおうとしたのか。学究肌の彼がどんな勝負を挑んだのか。おそらくは、大ブレイクする以前からブルースのレコードを作り、その主役となることで。そしてほとんど独力で、史上最も根源的な音楽のひとつであるブルースを支えたヒーローたちを復権させることで。そうだ、それなら勝負できる。

とりつかれたようにレコードを収集し、スキップ・ジェイムズ（1902-1969）、マディ・ウォーターズ、チャーリー・パットン、ロバート・ジョンソンといった大好きなブルース・アーティストの記事や論文を書きまくった。しかし若きウィルソンはそれでも満足できなかった。そこで実際に「忘れられたブルース・パイオニア、サン・ハウスを捜しだし、（中略）老いた彼が再び自分らしく弾けるようになるまで指導」しさえした。サン・ハウスの一九六五年のアルバム『ファーザー・オブ・ザ・デルタ・ブルース』にはウィルソンがギターとハーモニカでフィーチャーされたし、翌年も再び共演を果たしている。[*5] 自分の手でヒーローのキャリアをよみがえらせた——胸を張ってそんなことを言えるファンなんて、いったい何人いるのだろう。

ロバート・ジョンソンを教えた伝説のブルースマンとジャムし、共演者となったことは、逸話のひとつでしかない。ミシシッピ・ジョン・ハート（1892頃-1966）や、スキップ・ジェイムズ（ウィルソンがキャンド・ヒートで聞かせた妖気漂うファルセットは、シンガーとして崇拝していたジェイムズに影響されたものだ）をはじめとして何人ものブルースの先達ともプレイした。[*6]

キャンド・ヒートは結成後、モンタレー・ポップ・フェスティヴァルやウッドストックに出演。まだ知るよしもなかったが、このふたつのコンサートには最終的にウィルソンと同じ年齢で亡くなったミュージシャンが複数参加していた。また、バンド名そのものがドラッグに関する隠語だったことも興味深い。「キャンド・ヒート」というのは、エタノールとメタノールをベースにした固形燃料「スターノ」の別名だ。貧しい人々がハイになるためにこれを飲み、しばしば悲惨な結果を生んだ。「当時ウィルソンもハイト（訳注：ボブ・ハイト。キャンド・ヒートのもうひとりのヴォーカリスト。八一年、やはりオーヴァードーズにより死亡）も知らなかったことだが、バンド名の由来となったものが持つ致死性は苦いアイロニーとなった」とマックス・ベルは書いている。[*7]

ウィルソンもまた、悪影響の完璧な嵐のなかで生きていたひとりだった。嵐はコントロールできるところでも、できないところでも発生した。重度の抑鬱障害に苦しみながら、薬物使用で悪名を馳せたバンドに（ほかの多くの人々と同じように）参加――ハッピーエンドで終わるとはとうてい思えない組み合わせだ。「27クラブの多くのケースと同じく、彼もまた家族とは疎遠だった。自信を持てず、鬱に苦しんでいた。屋外で寝てしまうという奇癖を持っていたが、人生最後の夜、ロサンゼルスにあるヴォーカルのボブ・ハイトの家でもそうだった」[*8]。熱心な環境保護論者だったウィルソン本人によれば、そうやって自然を身近に感じていたかったのだという。

キャンド・ヒートでのウィルソン最後のアルバムもまた、ブルース・アイコンとの共演だった。ジョン・リー・フッカー（1912頃－2001）との『フッカー&ヒート』――ヒーローとのジャム・セッションに挑戦し、そうすることで恩返しをした作品だ。フッカーは「完璧に忘れられた状態ではなかったが、ブルースに影響されたロックが流行していた当時でも、その波の金銭的恩恵にあずかっていたとは言えなかった――少なくとも『フッカー&ヒート』までは」とジェフ・ジャイルズは書いている。[*9] ウィルソンにとってまさに栄光の瞬間となるべきアルバムだった。楽器を手にするきっかけをあたえてくれたアーティストとまたもジャム・セッションをおこない、それだけでなく、ヒーローの演奏をテープに残すこともできた。ウィルソンの正統性と、スタイルと、このジャンルへの熱意を証明するアルバムだ。「ジョン・リー・フッカーは、ウィルソンが自分のギター・プレイにしっかりついてきた、と驚きをもって語った。小節数や拍数を無視してしまうこともあって、フッカーは共演者にとってやりにくいパフォーマーだ。なのにこのアルバムのウィルソンは、難なく彼についていく。フッカーはしまいにこう洩らした。『おまえさん（ウィルソン）は、ずっと俺のレコードを聞いてきたんだろうな』[*10]」。

だがそんななかウィルソンは、ヒーローとジャムってレコーディングまでしながら、本来感じてしかるべき喜びを奪われた状態だった。残念ながら鬱という病は、幸運と論理的に呼応しないことがある。ウィルソンの状態は「アルバムのトラック・ダウンがおこなわれているころ、精神科の施設で夜を過ごす」[★11]ほど悪化していた。自殺未遂事件を起こし、その数か月後、バルビツールのオーヴァードーズで死去。アルバムが発表されたのは、そのあとだった。

こういう形でディテイルを語ってしまうと、ポイントを指摘するのが難しくなってしまう。ウィルソンが幸せを感じられなかったのは誰の責任なのか。鬱という病が本人のせいだったなどと言うことはできない。では、ドラッグをあたえたやつらのせいだったのだろうか。もしくは、まわりからのプレッシャーなどなくてもどのみち、つらい症状から逃れるためにクスリで自らを癒やそうとしたのだろうか。どうすれば違う結果を導きだせたのか、それを知るのは不可能だ。

ウィルソンというブルース学者がいなくなっても、キャンド・ヒートは果敢に前進しつづけた。ジョン・リー・フッカーやサン・ハウスといったヒーローもまた、ウィルソンの努力のおかげで、以前なら考えられなかった聴衆を得る恩恵に浴した。

ロン・〝ピッグペン〟・マッカーナン

誰が言いだしたのかは覚えていないが、カジュアルなキッス・ファンなどいない、というコトバがある。まさに適切に命名された「キッス・アーミー」の正式隊員であるか、それとも一般市民であるか、そのどちらか。中間はほとんどありえない。我々は幸運にも、カルト的熱愛を示してくれるファンを育てることができた（私は彼らを「ボス」と呼びたいと思っている。彼らのために仕事をしているからだ）。我々を愛するあまり、悪名高きニックネームを持つに至ったファン。まるで民兵か暴走族のように、彼らを象徴する紋章まで存在する。キッス・アーミーには総会があり、クラブハウスがあり、キッスから独立した文化がある。彼らは我々の想像を超えたところまで成長した。

歴史のなかには、同様のことをなしとげたバンドがいくつか存在する——ファンがひとつのサブカルチャーを作り、独自の言葉づかいまで生みだしたケースだ。ここでもまた、ビートルズがいい例だろう。彼らはどこへ行こうと真のイギリス王家のように、悪名高き「ビートルマニア」の炎を燃えさからせた。ジミー・バフェット（1946年生まれ）には「パロット・ヘッズ」がいるし、コンテンポラリー・アーティストにも、ジャスティン・ビーバーの十代ファン団体（奇妙なことに年かさの人も見受けられるが）「ビリーバーズ」のような例がある。

そしてもちろん、グレイトフル・デッドと、熱烈なる「デッドヘッズ」。グレイトフル・デッドのファン層には、まさに目を見張らされる。首をかしげたくなるくらいに熱心な追っかけぶりは、常人の理解を超えるものだ。デッドの音楽を好きだろうが嫌いだろうが、誰だってそう思うだろう。彼らは昔も、そして今も、デッドが演奏すると決めたところならどこへでもついていく。ショウからショウからショウへ。町から町へ。州から州へ。まるで終わりなき巡礼の旅。そんなバンドを作ったのが、ロン・マッカーナンだ。

ジェリー・ガルシア（1942－1995）がロン・マッカーナンに「豚小屋（ピッグペン）」というあだ名をつけたのは、おそらく私生活の衛生環境のせいだろう。ふたりはいろんなバンドでいっしょにプレイし、最終的にグレイトフル・デッドを結成した。

マッカーナンの生涯には、本書リストの名高い人々との共通点がいくつもある。ワインハウスと同じように、音楽的な原点は家族だった。父親は黒人向けのラジオ局でR&BのDJをやった最初の白人のひとりだ。[12] このことが彼の音楽的趣味を形作ったと考えられる。[13] また彼は「ブルース学の真の百科全書[14]」でもあった。だから、同じブルース愛好家だったジャニス・ジョプリンと恋仲になり、堅い同胞意識を抱いたとしても驚くにはあたらない。マッカーナンはブルースを理解していた。ロバート・ジョンソンの『クロス・ロード・ブルース』といったあたりまえのチョイスだけでなく、熱心なブルース・ファンしか知らないような珍しい曲まで聞いていた。初期のグレイトフル・デッドのレパートリーは、そんなマッカーナンの趣味に大きく影響されている。[*15]

デッドがブルースを基盤としたグループだったころ、オリジナル・メンバーのハート&ソウルはマッカーナンだったと主張する人は多い。ブライアン・ジョーンズの場合と同じだ。その死後、グループがより高名な大物フロントマンにゆだねられたところも似ている。マッカーナンは自分のバンドが遠ざかっていくのを感じていた。新曲の方向性を嫌ってジェリー・ガルシアなるギタリストと対立するようになり、さらに酒に溺れた。結局デッドはマッカーナンが意図していたブルース・ルーツとは違う方向へ進んでいき、彼はそんなデッドをただ見ていることしかできなかった。[*16]「バンドの形が固まっていった最初期、（中略）ピッグペンは大きな役割を果たした。最も深い音楽の知識を持っていたからだ。ガルシアに言わせれば、ピッグペンこそがグレイトフル・デッドだった[*17]」。

やはりブライアン・ジョーンズのように、しまいには依存症のせいで思うような活動ができなくなり、バンドはそれを補おうと新メンバーを補充した。ほかのメンバーが好んだのは、当時のカウンターカルチャーの領袖たちに共通したチョイス、幻覚剤。しかしモリソンと同じく、死期が迫ったころのマッカーナンのお気に入りのドラッグはアルコールだった。彼とメンバーとの違いは、つまるところ、選んだ薬物の違いなのかもしれない。マッカーナンが欲したのはブルースやゴスペルという、どっしり根の生えた古典であり、デッドが目指したのは、奇妙でスペイシーで新しいサイケデリアだった。

最後には酒量がモノを言った。健康を損ねたマッカーナンはツアーに出られなくなり、バンドを脱退。一九七三年、肝臓周辺の内出血が原因で世を去った。[*18]

ファッションこそバイク好きの不良っぽかったけれど、一時恋仲だったジョプリンと同じように（悲しいことに彼女もまたこのリストに名を連ねている）、友人の知るマッカーナンはやさしくていいヤツだった。「あったかくて愛すべき男だったね」とドクター・ユージーン・ショーンフェルドは言う。「ほかのロックンロール・スターとは違って、裏で悪さをしてるようなイメージはなかったよ[*19]」。

マッカーナンがガルシアと始めたバンドは、現在にいたるまでサブカルチャーの象徴でありつづけている。今もバンパー・ステッカーやTシャツや学生寮の部屋の壁を飾るエンブレム的存在だ。「デッドヘッズ」には殿堂入りするようなセレブや有名人もたくさんいるし、その数は増えつづけ、いろんな影響をおよぼしてきた。「デッドヘッズ」を自認する人々は、不思議なくらい多様だ。アン・コールター、ジョン・ベルーシ、バラク・オバマ、ジョン・メイヤー、ナンシー・ペローシ、トニー・ブレア、ウーピー・ゴールドバーグ、ジョージ・R・R・マーティン――枚挙に暇がない。[20][21]
グレイトフル・デッドのオフィシャル・ウェブサイトにはこんなことが書いてある。

ロック・バンドをやろうというのは、実はロン・マッカーナンのアイデアだった。彼が初代のフロントマンだ。鋭いハーモニカの音色とキーボード、そしてウォーロックス／グレイトフル・デッドの初期に聞かれたすばらしいブルース・ヴォーカル。ニックネームの「ピッグペン」は生活や衛生環境へのファンキーなアプローチから来ている。生まれたのはごく普通の家庭だったが、父親は（白人でありながら）R&Bのディスクジョッキーだった。そんなサウンドが、十二歳のとき以来、ピッグの人生のレールを敷いた。酒とライトニン・ホプキンスとハーモニカとバーベキュー――サン・カルロスの白人少年にしてみれば風変わりなチョイスだが、それがピッグの人生だった。そして七〇年代初頭には、大酒食らうブルース人生がピッグをじわじわと追いつめていった。デッドとの最後のショウをつとめたのは一九七二年。飲酒によって引き起こされた内出血によって、一九七三年三月八日、世を去った。[22]

不良っぽい言いかたをすれば、ピッグペンは「生き急いでさっさと死んだ」ブルース愛好家だったのだろう。だが私はこう言いたい。世界と分かちあえたはずのものを分かちあえなかった男。

ジョナサン・ブランディス

スティーヴン・キングの『IT』の新ヴァージョンが成功したのは、最初のテレビドラマのすばらしさを覚えている方には、なんの驚きでもないだろう。背筋が凍るほど強烈で気味悪いティム・カリーの演技は最高だった。そしてこの最初のテレビドラマ化でフィーチャーされたのが当時ティーン・アイドルだったジョナサン・ブランディスだ。そのときは知るよしもないことだったが、ブランディスは世の婦女子の心をときめかせながらも、内心では一発屋的な人気より、ティム・カリーのように安定した長いキャリアを望んでいたのではないだろうか。

「婦女子の心をときめかせる」というコトバは、軽々しく使ったわけではない――人気絶頂だったころのブランディスは日に四千通というとんでもない数のファンレターを受けとっていた。[23] ほとんどは瞳を潤ませた女の子たちからの手紙だ。デビューは早かった。二歳のときにモデルとして初出演。四歳で演技を始めた。物事をしっかり記憶する機能が脳に備わる前に、ショウビジネスの世界へ飛びこんだわけだ。芸能界で生きていく決意なんて、そんな年齢で固められたわけがない。

六歳のとき、テレビドラマ『ワン・ライフ・トゥ・リヴ』に数回出演する機会に恵まれ、その後『ザ・ワンダー・イヤーズ』『ジェシカおばさんの事件簿』『フルハウス』といった人気ドラマにゲスト出演した。[24]

はじめての映画主演作なら、今でも心に残っている人は多いだろう。『ネバー・エンディング・ストーリー』の続編、『第2章』。TVのミニ・シリーズ『イット』も同じ年だった――この作品で彼は、念願だった評論家筋からの賞賛のニオイをはじめて嗅ぎ、その後の足がかりを作った。もはやとどめようもないくらいの勢いだった。一流のスターになるのに、さほど時間はかからなかった。

スターダムへのぼらせてくれた番組は、スティーヴン・スピルバーグも制作にくわわったテレビSFドラマ『シークエスト』だ。この番組でヤング・アーティスツ・アウォードを受賞。ブランディスは何度もティーン雑誌『タイガー・ビート』の表紙を飾り、そして彼の写真は国じゅうの十代女子の無数の寝室の壁を飾った。

またしても同じ状況だ。外から見ているかぎり、よほど気をつけていないとなんの問題もないとしか思えない状況。ブランディスは夢を生きているように見えた。たとえその夢が賞味期限の短いものだったとしても、一度も経験しないで終わるより、経験して夢破れるほうがずっとマシだろう。しかしブランディスは意見を異にしていたらしい——彼の夢は少しばかり違っていた。

「ぼくは自分をそんなふうに考えちゃいないんだ——ティーン雑誌のガキだっていうふうにはね」。ブランディスはそう言った。「役者として仕事を続けていきたいんだよ」[25]。比較的軽い調子で口にした言葉だが、自分の状況にプラスとマイナスの思いを持っていたことが透けて見える。

彼にしてみれば唐突な変化だったにちがいない。「『シークエスト』はブランディスが二十歳を迎える直前、九六年で終了となり、(その後)仕事はぱったり来なくなった」[26]。彼のキャリアがどうしてそんなに短期間で宴の日々から極寒の日々になってしまったのかは、誰にもわからない。もしかするとハリウッドという地獄の門番が『シークエスト』終了を見て、この若者には連続ドラマの主役は張れないと判断したのかもしれないし、十代を過ぎていいトシになった彼にはファンの興味など維持できないと思いこんだのかもしれない。原因がどこにあれ、すでにブランディスも、そのときが遠くないことをはっきりわかっていたはずだ。

自分が突然「不要な人材」になってしまうとき。微妙にイメージを変えようともしたし、もっとオトナっぽい本格的な役柄に挑戦しようともした。なのに二年以上、何の仕事も回ってこなかった。例外は二〇〇二年の、いかにもブルース・ウィリスな映画『ジャスティス』だが、ブランディスが演じたのはほとんど編集室にいるだけのチョイ役だった。[27]

ブランディスが二十歳を迎えた一九九六年におこなわれたインタビューは、今ふりかえると悲しいことに、闇に落ちこむ前の最後の輝きをとらえていたように思える。記事のなかでジャーナリストのジェニファー・マンガンが描こうとしたのは、明るく揚々とオトナの役柄に挑もうとする、二十歳になったばかりの若手俳優だ。ブランディスはこのとき、脚本やプロデュースさえ視野に入れていた。

単に動くべきときなのではない。ジョナサンはまったく新しいことをやろうと考えている。四月十三日、彼は十代にキスして別れを告げ、二十歳になった——それとともに、ティーン・アイドルのイメージともきれいさっぱり縁を切りたいと思っている。『サイドキックス』や『レディバグズ』といった映画でこびりついてしまったイメージだ。（中略）四歳のときから俳優としてこの世界で活躍してきた彼は、キャリアの次の段階に入ろうとしているところだ。そこにはドラマや映画の監督をやったり脚本を書いたりという、カメラのうしろの仕事も含まれている。[*28]

ブランディスのケースはしばしば、セレブ悲劇のひとつの象徴だと見なされる――まだ年端もいかない子供を世界規模の愛と注目でオーヴァードーズさせ、そんな愛と注目を特定の年齢で突然奪い去るとどうなるのか。このような拒絶の心理的な効果を推察するのは簡単だろうし、ブランディスが唯一のケースではない。エイミー・ニコルソンは『LAウィークリー』誌にこう書いている。

この種の憧れのティーン・アイドルの何人が、オトナのスターになれたのだろう。(レオナルド・)ディカプリオただひとりだ。彼は二〇一〇年、『ローリング・ストーン』誌のインタビューで、生存競争の厳しさについてこう語った。「最初のころは、強力なライバルがふたりいて、ブロンドの髪をしたそいつらとオーディションを受けてたんだけどね。ひとりは首を吊って、もうひとりはヘロインのオーヴァードーズで死んだよ」。自殺したのはブランディス。オーヴァードーズは数人の候補の誰であってもおかしくない。[*29]

『ジャスティス』の一年後、ブランディスは首を吊った。次に挙げるのは当時掲載された死亡記事だ。

問題だったのはおそらく、外見こそが大切だとされる町にいたせいか、元ティーン・アイドルのジョナサン・ブランディスが上々のルックスを維持していたことだろう。もちろん友人たちは、九〇年代なかば『シークエスト』というテレビ・シリーズでスターになった彼が長い停滞期に入ってふさぎこみ、孤独だったことを知っていた。酒量が増えていたことも知っていた。友人のひとりは彼が「もうすぐ自殺するよとみんなに言っていた」と明かしさえした。だが誰ひとり、そんな言葉を真剣に受けとめようとしなかったらしい。[*30]

今ブランディスの名前をググったとしたら、出てくるのはきっと、「死んでも気づかれなかったセレブ」などという、シニカルで同情心のかけらもない「クリックベイト」記事のリストだろう。死後もなお私たちは、せっかくの期待にちゃんと応えられないのかというプレッシャーをこの青年にあたえていないと気がすまないらしい——単純に言えば、こっちの好みにしたがっていつまでも若くいられなかったことを責めつづけているわけだ。こんなねじ曲がった観点を押しつければ、永遠の若さを獲得できるただひとつの道は老いる前に死ぬことだと考える人間が出てきてもおかしくない。それがブランディスのように、移り気なティーン人気に支えられて突然スターになってしまった人間ならなおさらのこと。言うまでもないが、こんな考えかたは誤りだ――死は人を若くいさせてくれるわけではない。ただ、他人の心のなかで若いままにするだけだ。

＊1 「フォー・ジョナサン・ブランディス、ナウ・イン・『ボーン・フリー』、プレイ・タイム・イズ・オールモスト・オーヴァー」R・D・ヘルデンフェルズ　フィラデルフィア・インクワイアラー紙　04/26/1996

＊2 「ミア・ザパータ」Wikipedia.com　06/26/2018アクセス

＊3 「リッチー・エドワーズ・ファミリー・ファインド・『ヴァイタル・ニュー・エヴィデンス』・イン・ケース・オブ・ミッシング・マニック」アンドリュー・トレンデル　NME.com　02/09/2018

＊4 「ジョンヒョンズ・スイサイド・ノート・リヴィールズ・プレッシャーズ・フロム・フェイム、ディプレッション・ザット・

『コンシュームド』・ヒム」エイミー・B・ワン　WashingtonPost.com 12/19/2017

＊5 「キャンド・ヒート：ザ・トゥイステッド・テイル・オブ・ブラインド・アウル・アンド・ザ・ベア」マックス・ベル　LouderSound.com 12/20/2014

＊6 「アル・ウィルソン（ミュージシャン）」Wikipedia.com　06/01/2018アクセス

＊7 「キャンド・ヒート：ザ・トゥイステッド・テイル」ベル　LouderSound.com　2014

＊8 「ザ・27クラブ：ア・ブリーフ・ヒストリー」ローリング・ストーン・エディターズ　RollingStone.com　11/12/2013

＊9 「ザット・タイム・キャンド・ヒート・アンド・ジョン・リー・フッカー・メイド・『フッカー・ン・ヒート』」ジェフ・ジャイルズ　UltimateClassicRock.com

＊10 「アル・ウィルソン（ミュージシャン）」Wikipedia.com

＊11 「ザット・タイム・キャンド・ヒート」ジャイルズ　UltimateClassicRock.com

＊12 『リヴィング・ウィズ・ザ・デッド：トゥエンティ・イヤーズ・オン・ザ・バス・ウィズ・ガルシア・アンド・ザ・グレイトフル・デッド』ロック・スカリー（クーパー・スクエア・プレス　ＮＹ　２００１）

＊13 「アーティスト・バイオグラフィー：ロン・〝ピッグペン〟・マッカーナン」レイチェル・スプロフツォフ　AllMusic.com　06/01/2018アクセス

＊14 『リヴィング・ウィズ・ザ・デッド』スカリー（２００１）

＊15 同右

＊16 「45イヤーズ・アゴー：ザ・グレイトフル・デッズ・ロン・〝ピッグペン〟・マッカーナン・ダイズ」デイヴ・スワンソン　UltimateClassicRock.com

＊17 『リヴィング・ウィズ・ザ・デッド』スカリー（２００１）

＊18 「〝ピッグペン〟・マッカーナン・デッド・アット・27」ローリング・ストーン・エディターズ　RollingStone.com　04/12/1973

＊19 同右

＊20 「デッドヘッド」Wikipedia.com　06/01/2018アクセス

＊21 「アン・コルター：アイム・ア・グレイトフル・デッド・ファン・フォー・ライフ」アン・コルター　Billboard.com　06/24/2016

＊22 「ロン・〝ピッグペン〟・マッカーナン」Dead.net　06/27/2018アクセス

＊23 「ジョナサン・ブランディス：ハウ・ライフ・アフター・ティーン・スターダム・キャン・テイク・ア・ロング・ターン」エイミー・ニコルソン　LAWeekly.com　11/12/2013

＊24 「『シークエストDSV』・アクター・ジョナサン・ブランディス・デッド・アット・27」CNNエディターズ　CNN.com　11/24/2003

＊25 「ジョナサン・ブランディス：ハウ・ライフ・アフター」ニコルソン　LAWeekly.com　2013

＊26 同右

＊27 同右

＊28 『アクト2、シーン1』ジェニファー・マンガン　ジ・アイテム誌　04/28/1996

＊29 同右

＊30 「ア・ティーン・ハートスロブ・テイクス・ヒズ・ライフ」『ピープル』誌取材班　People.com　12/08/2003

THE ALMOST-27S

†

OTIS REDDING

オーティス・レディング

1941－1967

27歳前後

†

TIM BUCKLEY

ティム・バックリー

1947－1975

&

JEFF BUCKLEY

ジェフ・バックリー

1966－1997

オーティス・レディング

「アーティストのなかのアーティスト」というカテゴリーがあるとすれば、誇張でもなんでもなく、そのなかでアタマひとつ抜きんでているのはオーティス・レディングだ。

右のカテゴリーに入る多くの人々と同じく、若きオーティスもまた、ブルースのサウンドやサム・クック、リトル・リチャードというレジェンドを聞いて育った。ホームタウンはリチャードと同じジョージア州メイコン。子供のころは聖歌隊のシンガーだった。ゴスペルの影響は彼自身の音楽においても明らかだし、長い時間をかけて枝葉のごとく広がってきた彼の影響力の末端においても、また同様だろう。長じてからのパフォーマンスには、黒人教会の熱狂にも似たエネルギーがあふれていた。クライマックスにいたるまでのジラシかた、アドリブ、何度もくりかえされるエンディング。大出力のパフォーマンスだった。

十代のころはダグラス・シアターのタレント・ショウで五ドルの優勝賞金を狙って歌ったが、十五回連続で優勝したため、その後は出場禁止となった。[★1]

最初は他人のバンドだった。ヘンドリックスと同じように、リトル・リチャードのバックバンド、アップセッターズにも参加した。レディングとヘンドリックスの共通点はこれだけではない。[2] ポップ・ミュージックの世界に躍り出るきっかけができたのは、ジョニー・ジェンキンス（1939－2006）というギタリストのおかげだった。レディングは彼に連れられ、録音の機会を狙ってスタジオに通った。チャンスがめぐってきたのは一九六二年。ある日ジェンキンスの気が乗らず、スタジオでのセッションの最後に時間が余ってしまった。そこでレディングは勇んで『ジーズ・アームズ・オブ・マイン』を録音した。今やクラシックとなった歌。彼をスポットライトのもとへと押しだしてくれた歌だ。

彼は自分で曲を書いてヒットさせ、とんでもなくエモーショナルなパフォーマンスを披露した。当時チャートを支配していたジェイムズ・ブラウンにも負けない勢いだった。[3] いったん大衆の目にとまると、自ら多くのファンを持つアイコンである本書リストのメンバーも、こぞってレディングのファンになった。彼がフィルモアで三夜連続のショウをやったとき、ジャニス・ジョプリンは何時間も辛抱強く登場を待っていたという。[4]『ペイン・イン・マイ・ハート』をカバーしたローリング・ストーンズも、多くの証言を待つまでもなく、レディングの「最大の崇拝者」だった。[5] レディングは自らヒット曲を書いただけでなく、他人の歌を自分のものにしてしまう名人でもあった。ローリング・ストーンズの『サティスファクション』をカバーして再びチャート入りさせ、ビング・クロズビー／フランク・シナトラで知られた『トライ・ア・リトル・テンダネス』をヒットさせた。当時の音楽文化では、黒人の歌を白人アーティストがカバーして普及させるのが一般的な流れだったが、『トライ・ア・リトル・テンダネス』はそれを逆転させたわけだ。ヒットするまでには紆余曲折があった。音楽出版関係者は自分たちの歌を「ニグロの観点」から録音しなおしたと言って、レディングをこころよく思わなかったという。[*6] 私たちはこんな物言いにひそむアイロニーをしっかり受けとめなければならない。考えてみれば、ビートルズ、ストーンズ、その後のレッド・ツェッペリン……ほとんどのバンドが黒人のブルース・アーティストからインスピレーションを受け、彼らの曲をカバーして大金を稼いできたのだから。言うまでもないことだが、それでもレディングは『トライ・ア・リトル・テンダネス』をとりあげてオリジナル・ヴァージョンを凌駕し、「自分の代表曲」[*7]にしてしまった。私がずっと言ってきたとおり、成功こそ最高の復讐だ。

レディングの書いた曲をカバーした人間にも成功は訪れた。アリサ・フランクリンの最も有名な歌のひとつである『リスペクト』もオリジナルはレディングだし、ブラック・クロウズが大ヒットさせた『ハード・トゥ・ハンドル』もいい例だろう。[*8]
レディングのファン層を（とくに白人に対して）広げたのは、モンタレー・ポップ・フェスティヴァルでのパフォーマンスだった。ここでもまた、同じステージにジャニス・ジョプリン（今や対等な出演者として）、ジミ・ヘンドリックス（リトル・リチャード・バンドのふたりめの卒業生／出演者として）、そしてキャンド・ヒートのアル・ウィルソンが登場していた。私が迷信深い人間だったら、モンタレーをじっくり吟味するだろう――そこで演奏し、クリエイティヴな足がかりを作った人々のあまりに多くが、ほぼ同じ年齢で亡くなったのだから。レディングのステージはとりわけ強烈で、『ローリング・ストーン』誌によれば、グレイトフル・デッドのボブ・ウィア（1947年生まれ）が「ステージに神を見たと確信したよ」と洩らしたほどだったという。[*9]

たった四年のあいだに、今ではソウル・クラシックスとされている歌がいくつも、レディングの想像力から飛びだしてきた。ところが奇妙なことに、それまで最高でもトップ40の21位だったレディングに最大のヒットが生まれたのは、彼の死後だった。現在レディングのすばらしさを認めている世界じゅうの評論家やファンは口をそろえて、彼が時代の先を行っていたのがその理由だと言う。また、ロックンロール・ホール・オブ・フェイムは「当時のメインストリーム・マーケットにはあまりに強烈にしてソウルフルでありすぎた」と述べた。[*10]

モンタレー・ポップが終わってまもなく、レディングは『（シッティング・オン・）ザ・ドック・オブ・ザ・ベイ』をスティーヴ・クロッパーと共作した。このときのセッションはいつものレディング流より少しばかり間口の広いものになったが、それはある意味、モンタレーでヒッピー・カウンターカルチャーに浸透、交流したことで生まれた化学反応や、『サージエント・ペッパーズ・ロンリー・ハーツ・クラブ・バンド』の発表に触発されたせいだったのかもしれない。[11]『ドック・オブ・ザ・ベイ』のレコーディングは「長いセッションのあとの」付け足しのようなものだった。「クロッパーの言うところによれば、エンディングで口笛が吹かれたのは、リハーサルで決めていたヴォーカル・フェイドアウトをレディングが忘れていたからだ[12]」という。

レディングがこの曲のリリースを自分の目で確かめることはなかった。一九六七年、モンタレーの六か月後、レディングとそのバックバンド、バーケイズの若すぎるメンバーを乗せたプライベート・ジェットがモノナ湖に墜落。[13] レディングは二十六歳だった。[14]

あとからふりかえると奇妙なことだが、同年、テレビの『アメリカン・バンドスタンド』で彼は司会のディック・クラークと飛行機のトラブルの話をしている。

ディック　いつも驚かされることがあるんです。あなたは何があっても動じない感じですよね？　でもここまで来るのは、ひと仕事だったでしょう。ツアーばかりで、少々の移動くらいなんでもないって感じですか。

オーティス　だけどね、ディック、今朝はたいへんだったんだよ。飛行機に乗り遅れてね。

ディック　それでもこの人は必ず到着するんですよ。雨だろうが、みぞれだろうが、雪だろうがね──郵便配達みたいに、オーティス・レディングは必ず来てくれるんです。[*15]

『(シッティング・オン・)ザ・ドック・オブ・ザ・ベイ』は死後発売されるや一気にチャートを駆けあがり、四週つづけて一位の座を獲得した。

このようなケースにはある種の誘惑がある。『ザ・ドック・オブ・ザ・ベイ』がレディング初のナンバーワン・ヒットになった理由を、「死者を聖人と崇(あが)めたせいだ」とする誘惑だ。ワインハウスのところでも見たように、アーティストのセールスは死の直後跳ねあがることが多いし、私たちが多かれ少なかれ、アタマのなかで歴史を書きかえたがる生きものであることもこれまで述べてきたとおりだろう。しかしレディングの遺産に関して言えば、そんな考えかたは承認したくない。あの歌なのだから、なおさらだ。今でもあの歌は……いや。言わなくてもわかるだろう？　みんな、わかるはずじゃないか？　一度聞いてもらえれば、きっとわかるはずだ。

伝記作家に言わせると、不思議な理由がいくつかあって、きちんとしたレディングの伝記を書くのは難しいのだそうだ。理由のひとつは、レディングがナイス・ガイだったこと。アラン・ライトは『ニューヨーク・タイムズ』でこう書いている。

ビートルズの歴史を内側から見た『キャント・バイ・ミー・ラヴ』の著者ジョナサン・グールドもやはり、こういった試みが直面してきた問題に行きあたった。レディングが生涯おこなったインタビューはたったふたつほど。おまけに、誰にも悪口を言われない男の人生に目立った波風は立たない。「とんでもなくすばらしい才能でした」と彼のマネージャーは言った。「とんでもなくすばらしい男だったんです[*16]」。

そんな聖人のようなイメージに人間くささをあたえようとしたのが、二〇一七年に出版されたグールドの『オーティス・レディング：アン・アンフィニッシュト・ライフ』だ。ライトはこの本を、「レディングの遺族との連絡」を綿密にとり、かつ「パフォーマーとしての初期のレディングを徹底的に調べあげた印象的な[*17]」伝記だと評した。

レディングの場合、その死は明らかに事故であり、誰にでも起きうるものだった。ところがこんな状況でも、盛り上がりなどまったくないところに話の盛り上がりを作りたいという誘惑は、一定レベルで存在する。ある種の背理法というやつだろう。死にまつわる暗い魅惑。特定の人々がこういった物語に興味を惹かれる理由は、それ以外にありえない。熱心な見物人にとって大事なポイントとは明らかに、若くして死ぬこと。物語をドラマティックにしてくれるスパイス。しかしだからといって、私たちの精神的・感情的なエネルギーを実際の作品群から遠ざけてしまうのは、あまりに残念なことだと思う。レディングはほんとうにすばらしい仕事をした。彼が存命だったとしても、私に言わせれば、あの最高にすばらしい歌たちが今いる位置から追い落とされるなんて、あっていいはずがない。それを魂に銘じておくのはいいことだろう。私はそう信じる。第一、レディングの歌や声だと、魂にも銘じやすいではないか。

ティム・バックリー・アンド・ジェフ・バックリー

若いミュージシャンにまつわる奇妙な危うさというか、少なくともはかなさのようなものを論じようとするなら、最適なのはティム・バックリーとジェフ・バックリーという親子の例だろう。ふたりとも正確に二十七歳で逝去したわけではないが、大衆の想像力をかきたてる統計学的くくり——全盛期に不慮の死を遂げた悲劇の若きアーティストという集団に属している。

ティム・バックリーとジェフ・バックリーの生涯は短いものだったし、どちらも特大のレコード・セールスは記録していない。とはいえ、ふたりとも（スケールは小さかったかもしれないが、レディングのように）「ミュージシャンズ・ミュージシャン」と呼ばれる人たちだ。成功したミュージシャンが何人も、アーティスティックな意味で彼らから大きな影響を受けたと認めている。とくにジェフ・バックリーは、スタジオ録音ではたった一枚のアルバムしか残さなかったというのに、多くの人から「偉大なミュージシャン」だと見なされる男だ。開花しつつある大きな才能を失った人々は、早すぎるその死を嘆いた。彼はすでに父親を乗り越えていたし、チャンスさえあったらおそらく最後には、大衆の注目を全身で浴びる存在になっていただろう。

ティム・バックリーはその生涯、少数だが熱狂的なファンに向かって（逆説的に言えばそれは彼がメジャーになれなかったということでもあるのだが）、変幻自在のスタイルと作品を披露しつづけた。フォークからジャズ、そしてキャリアの後期には実験的な音楽へ。ジャンルのあいだを軽やかに飛びまわってみせた。初期のティムはフォークやブルースに影響された音楽を得意とし、そのおかげでエレクトラ・レコーズの目にとまった。[*18] しかしながらのちには、そんなジャンルなど（彼自身が属していたジャンルでもあったが）「白人による簒奪であり感情的なイカサマだ[*19]」と言って放りだした。黒人音楽の遺産を白人アーティストが好き勝手に使っていたことに我慢ならなかったわけだ。彼は、ぬくぬくと定型に安住していることができない男だった。ジャンルからジャンルへ気ままに飛びまわり、それに不満をもったファンから批判されても平気の平左だった。そんなミュージシャンなんて、そうそういるもんじゃない。『ローリング・ストーン』はこう書いている。

ジャクソン・ブラウンとも肩を並べるLAのソング・ポエットであり、数オクターヴにわたる印象的な歌声を持つバックリーだったが、ほんとうの意味でスターダムにたどりつくことはなかった。最初に注目を浴びたのは、繊細で、ほとんどひ弱ささえ感じさせるシンガー・ソングライターとしてだった。しかし六〇年代末期、型にはまらないジャズ・ヴォーカルに挑戦し、ライヴではときに一時間もオノマトペだけで歌ったりした。[20]

フォーク・ファンはサイケデリアへと変容していくティムを認めようとしなかったし、ヒッピーたちもどうして突然彼が前衛や実験的音楽へ向かっていくのか理解できなかったらしい。それでも彼の曲で最も知られているのはおそらく、最も難解だったアルバム『スターセイラー』収録の『ソング・トゥ・ザ・サイレン』だろう。

ティム・バックリーとしては自分のやりたいことに忠実でいたかっただけなのだろうが、作品の支持者をコンスタントに見つけられなかったことは次第に暗い影を落とした。そうして彼は、本書リストの人々と同じように薬物に頼るようになった。二十八歳での死を意外だと思っている人もいる――酒は飲んでいたが、多くの同時代人とは違ってハード・ドラッグにどっぷり浸かっていたわけではない、という言い分だ。ブラッド・スウェット&ティアーズのベースだったジム・フィールダー（1947年生まれ）は、ティムが亡くなったころを思い出しながらこう語っている。「あいつは体調もすごくよくて最高の状態だったんだ。人生でも最高に健康的な時期を過ごしてたんだよ」[21]。だがティムは、最高の状態でもフラストレーションと、最悪の状態では鬱と闘っていた。仕事にも波があったし、人生のあちこちでハード・ドラッグの実験もおこなった。亡くなるころは精神状態が安定していたにせよ、まわりの人々にとって彼の早逝は予見できるものだったようだ。ティムの曲の歌詞を書いていたラリー・ベケットは、「危険な生きかたをするのが好きな男だったね。運転なんかも、いつ事故ってもおかしくないくらい危なかったよ」と述べている。「二年ほど大酒を飲んでたし、ダウナーで死にかけたこともあった。でも、いつも逃げおおせたんだ。そしたら、あのロマンティックな、ヘロインってやつを使いはじめた。それでついに運が尽きたわけさ」[22]

ティム・バックリーの死が本書リストでユニークなのは、彼の命を奪ったドラッグをあたえたのが誰だったのか、ある程度ではあっても警察の手によって実際明らかにされたということだろう。「十日後、三十歳のＵＣＬＡ音楽科研究助手、リチャード・キーリングが第二級殺人の容疑で召喚された。キーリングには、バックリーを死に至らしめたドラッグを譲渡した嫌疑がかけられている」[23]。

ティム・バックリーとメアリー・ギベールとの結婚生活は一年あまりしか続かなかったが、メアリーは一九六六年、ジェフ・スコット・バックリーという男児を産んだ。ティムとメアリーは離婚後すぐ別人と再婚。メアリーとジェフはティムの葬儀にも呼ばれなかった[24]。

幼いジェフが父親に会ったのはたった一度だけ。ティムが亡くなる三か月前だったらしい。母親がジェフを父親のコンサートに連れて行ってくれたときだった。この出会いのことをジェフはのちにこう語った。「彼の膝の上に十五分間座ってた……向こうはずっと笑ってたよ。ぼくもそうだったけどね[25]」。

ジェフが育った家で、父親は象徴的な意味で現れたり消えたりした。

ジェフはよく笑う「小さなヒッピー・キッド」だった。住んでいたのはカリフォルニアのオレンジ・カウンティ。名前を呼ばれるときはスコットか、スコッティ・モアヘッド（訳注：名字は母親の再婚相手のもの）……（中略）ジェフの家族は彼のことを最後まで「スコッティ」と呼びつづけた。しかし父親の死を知って数か月たったころ、ジェフは父親に敬意を表してバックリーという名字を使いたいと母親に告げた。伝記作家のデヴィッド・ブラウンによれば、ほんとうのファースト・ネームを使いはじめたのは一九八〇年。自分の出生証明書を見つけて本名を確かめてからだった。[*26]

ジェフ・バックリーが成人してついに自分の音楽をリリースすると、父親よりずっと早い段階で注目を集めるようになった。だがスタイルに関しては同じく軽やかに、奇妙なほど広いジャンルの音楽に挑んだ。レッド・ツェッペリンに影響を受け、オペラやキャバレー音楽にも同じくらい影響を受けたアーティストなんて、ほかにいるだろうか。ジェフ・バックリーはツェッペリンの大ファンだったが、リード・ヴォーカルのロバート・プラントもそんな彼の気持ちに応えた。プラントはディナー・パーティーの席で若きジェフに向かって、すばらしいアルバムだったと讃えたという。[*27]

ジェフ・バックリーは人生の端々にいつも姿を現すミステリアスな父親に対して、二律背反的な感情を抱いていた。クラブやカフェでたまにギグをやってはいたが、世界がジェフを発見したのは、彼がティム・バックリーのトリビュート・コンサートに誘われ、父親の曲をカバーしたときだ。自分のキャリアを伸ばそうとしてそんなコンサートに出演したのだろうと邪推されることを、ジェフはたいそう嫌がったらしい。「これは踏み台なんかじゃない。すごく個人的なことだ。葬儀に行けなかったことがずっと心にひっかかってた。あのショウを使ってぼくがやりたかったのは、最後の敬意を払うことだったんだ」ジェフはそう明言している。「ぼくは父親のために自分の匿名性を犠牲にした。そして彼は名声のためにぼくを犠牲にしたわけさ[28]」。

このあと、レコード会社の幹部や大勢のファンがカフェのショウに群がりはじめた。契約が用意され、ツアーが予定されるまで、さほど時間はかからなかった。ジェフと成功との関係を描くときにも、キーワードはやはり二律背反というコトバだろう。彼はファンに向けてこんなことを書いている。「物事って、どれだけ人を呑みこんじまうんだろう。今年は喜びと、どこまでも悪魔的なクダラなさが混じりあった、シュールな一年だった[29]」。

ジェフは、数オクターヴにわたる声域と、ジャンルをまたぐスタイルを父親から受け継ぎ、シーンに登場するや常に父親と比較されつづけた。そして父親と同じように、最初のころは薬物使用が問題になるとは思われていなかった。

> 十七歳のころは（中略）音楽が彼の人生だった――彼が酒を飲んだり、ドラッグを吸ったりやったりするのを見た人間など、ひとりもいない。「ほんとうに純粋な人でした」と家族ぐるみのつきあいがあったタマレイン・アダムズはブラウンに語った。「女性にもセックスにもほとんど興味を示しませんでした。明るい人でしたけど、いつもどこか、悲しい感じ

とか沈んだ感じがありましたね[30]」

ところが名声が頭をもたげて猛威をふるいはじめると、ジェフは本書リストの多くと同じパターンを示しはじめる——精神的に追いつめられてしまい、「音楽を作るとき匿名のままでいられなくなったことを思いなやむ[31]」ようになってしまったわけだ。父親の遺産に対する二律背反の思いが、音楽業界に対しても反映された。ジェフにしてみれば、業界の「スーツ族」など、卑しい欲求しか持っていない俗物だった。音作りに行き詰まりを感じはじめていたし、成功したことも、ファースト・アルバムに対する玄人筋からの賞賛もプレッシャーになった。次は一枚目と並び称されるか、もしくは、それを越える作品を作らなければならなかった。

だがここから先のジェフ・バックリーの物語は、本書リストの人々とは違う方向をたどる。確かにテキーラやマリファナを楽しんではいたが、薬物実験が彼の人生に影を落としたとは思えないし、薬物使用があったとしても、ほかの人々とは違って転落の一因にさえならなかったのではないか。ともあれ、最終的にそういうことが問題になったのかどうか、本人は確かめることもできなかった。

ジェフは父親とほぼ同年代で世を去ったが、その死は突発的な事故によるものだったようだ。曲作りと録音のためメンフィスへ行き、そこでスランプから抜け出した（少なくともいい方向に向かいはじめた）と感じた彼は、突然夜の水泳を楽しもうと思い立ち、服を着たままウルフ川に飛びこんだ――たぶん景気づけのつもりだったのだろう。

数分後も、ぷかぷか浮かびながらレッド・ツェッペリンの『胸いっぱいの愛を』を歌っていた。（友人の）キース・フォティは岸に残ったまま、通りかかったボートの引き波で濡れないよう、ラジオとギターを動かした。だがキースが目をあげると、ジェフはもう見えなくなっていた。[*32]

バックリーの消息不明が伝えられると、多くの人が自ら命を絶ったのではないかと勘ぐった。高みの見物をしていた人たちに悪意はなかったのかもしれない。だがこういった物言いはいつだって、魅力的でおいしいゴシップをかきたてていく。ファンにとって馴染み深いあの自壊パターン、同時代人や彼のアイドルが数多くはまりこんだパターンに、この若きミュージシャンもあてはまってくれるのではないかと、期待せずに期待しているような感じだ。しかし六月四日になって遺体が発見されると「解剖所見によって体内から不法薬物は検出されなかったことが確認され、マネージメント側は単に悲劇的な事故だったと主張[*33]」した。ゴシップ誌や伝記作家の落胆ぶりが聞こえてくるようじゃないか。

唯一のアルバム『グレース』にはレナード・コーエン（1934－2016）の『ハレルヤ』の有名なカバーが収録されているが、ジェフの死後、この曲はチャートを駆けのぼった。現在のポップ・カルチャーでもしばしば踏襲されたり言及されたりするアレンジだし、多くの人が、バックリーのパフォーマンスはオリジナルを越えたと考えている。ニルヴァーナがカバーしたデヴィッド・ボウイの『世界を売った男』と同様、大衆の想像力のなかでオリジナルを凌駕する存在になったのだろう。

明白なことがある。ティム・バックリーとジェフ・バックリーの死は厳密な意味で、ひとつの行動パターンに沿ったものではない。新聞や雑誌の記事がどれだけジェフの死をロマンティックに描き、「父の予言」だとか「暗いさだめ」などと書きたてようと、実際のところは単なる偶然だ。気味の悪い偶然ではあるが偶然であることに変わりはない。ジェフの死のいきさつを枝葉末節まで調べあげたところで、ただの事故だったということがわかるだけだろう。こんなところに人智を超えた何かを見てとるから、私たちは27クラブのような文化的固定観念（ミーム）にデカい顔をさせてしまう――若いミュージシャンが若いまま死んでしまう確率が高いのは、彼らの選んだ職業になんらかの超自然的な部分があるからだとほのめかすようなものだ。しかしながら、ときとして、起きることは起きる。すべてのものがシェイクスピア悲劇のような因果関係を示すわけではない。きれいにまとまった物語の形式で語れるものばかりではないし、また、そうあってはならない。人生とはぐちゃぐちゃで、ランダムで、奇妙なものだ。

もしここに想定されるべきパターンがあるとすれば、それは、ハイリスクな行動傾向は一定の効果をもたらす、ということだろう。人はそのリスクを知りながらハード・ドラッグをやる。リスクがあったほうがさらにハイになれたりするらしい。少なくとも私が聞いた話ではそうだ。このレンズを通して見れば、ジェフ・バックリーの溺れたウルフ川は「地元の人のあいだでは泳ぐのが危ない場所だった[34]」という事実が浮かびあがってくる。そんな危険な川に夜間飛びこむことは、スリルを楽しもうとする人間にとってある種独特なハイだったのだろう。彼の父親はスリルを求めて危険運転を楽しんだ。ふたりに共通していたのは、おそらく、スリルを求める感覚だったのではないか。もちろんこれは単なる推測だ——ジェフはただ泳ぎに行きたかっただけであり、彼がこの世を去ったことと向こう見ずな性格とは何の関係もなかった可能性だって充分ある——そしてどんな場合でも、この手のことが重要なポイントになるべきではない。自分の死と父親の死を比較対照されるなんて、ジェフの望むところではなかったはずだ。

ジェフ・バックリーとその父親の共通点を語るとしたら、彼らの歌声であり、芸術性であり、それぞれが苦労して作りあげた音楽だ。次の言葉を最後にしよう。とりあえず、彼らのアルバムを聞いてほしい。そのうえで、ふたりの男がたまたま若死にしたことが作品になんらかの付加価値をあたえているのかどうか、あなた自身の耳で判断してほしい。押しつけがましいことを言うわけではないが、私は、そんな付加価値などないと考えている。彼らの作品はそれだけで充分成立しているのだから。

*1 「アバウト」OtisRedding.com（オフィシャル・ウェブサイト）06/01/2018
*2 「オーティス・レディング・バイオ」ローリング・ストーン・エディターズ RollingStone.com 06/01/2018アクセス
*3 同右
*4 「エピック・ニュー・オーティス・レディング・バイオグラフィー・シェッズ・ライト・オン・ザ・シンガーズ・ライフ・アンド・タイムズ」ウィル・ハーメズ RollingStone.com 08/02/2017
*5 「オーティス・レディング：ザ・クラウン・プリンス・オブ・ソウル・イズ・デッド」ヤン・S・ウェナー『ローリング・ストーン』誌 01/20/1968
*6 『パフォーマンス・アンド・ポピュラー・ミュージック：ヒストリー、プレイス、アンド・タイム』ジャニス・イングリス（アシュゲイト イギリス 2016）
*7 「オーティス・レディング」Wikipedia.com 06/01/2018アクセス
*8 「オーティス・レディング・バイオ」RollingStone.com
*9 「エピック・ニュー・オーティス・レディング・バイオグラフィー」ハーメズ RollingStone.com
*10 「ロックンロール・ホール・オブ・フェイム・インダクティーズ：オーティス・レディング」RockHall.com 06/01/2018アクセス
*11 「エピック・ニュー・オーティス・レディング・バイオグラフィー」ハーメズ RollingStone.com 2017
*12 「オーティス・レディング・バイオ」RollingStone.com
*13 「ロックンロール・ホール・オブ・フェイム・インダクティーズ：オーティス・レディング」RockHall.com
*14 「エピック・ニュー・オーティス・レディング・バイオグラフィー」ハーメズ RollingStone.com
*15 「ディック・クラーク、オーティス・レディング、アメリカン・バンドスタンド」01/21/1967
*16 『ソウル・オブ・ザ・60ズ：オーティス・レディングズ・ショート・ライフ・アンド・ロング・リーチ』アラン・ライト ニューヨーク・タイムズ紙 06/02/2017
*17 同右
*18 「ティム・バックリー」Biography.com 06/10/2018アクセス
*19 『ブルー・メロディ：ティム・バックリー・リメンバード』リー・アンダーウッド（バックビート・ブックス アメリカ 2002）
*20 『ティム・バックリー・デッド・アット・28』ジュディス・シムズ ローリング・ストーン誌 08/14/1975
*21 同右
*22 『ティム・バックリー：ザ・ハイ・フライヤー』マーティン・アストン ＭＯＪＯ誌 06/1995
*23 『ティム・バックリー・デッド・アット・28』シムズ ローリング・ストーン誌 1975
*24 「ライフ・ストーリー：ジェフ・バックリー、ザ・ホーンテッド・ロック・スター」マリー・クレア NZ.Yahoo.com 05/03/2013
*25 同右
*26 同右
*27 同右
*28 同右
*29 同右
*30 同右
*31 同右
*32 同右
*33 同右
*34 同右

THE SCIENCE OF 27

AN INTERVIEW WITH DR. JAMES FALLON

27の科学

ジェイムズ・ファロン博士へのインタビュー

「皆さん、よくおわかりになってないんですが、世界的な注目とか、一夜にして世界的な人気を得るとかっていうことは、トラウマになる可能性があるんです。神経系統がそういうふうにできている人にとってはね」

——ジェイムズ・ファロン博士

本書の意図とは、これまでとりあげてきた物語に関する私なりの考えかたを（同じミュージシャン、同じ有名人として）示すことだが、都市伝説と事実を区別したいときに今でも最も有効なのは、厳然とした科学（ハード・サイエンス）だ。科学とは、暗い洞窟を照らす炎。だから私たちはここにこうしていられるのであり、辻褄があいそうにないものの辻褄をあわせることもできる。では、どうして27クラブの人々はこんな道をたどり、同じような状況にいたほかの大勢は違う人生を歩んだのか。クラブの人々が特定のルートを進んでいった背景には同じ原因があるのか、それとも単なる偶然なのか。いろんな人生のデータを精査してきた今、考えてみるのも悪くないだろう。

こういった物語の多くに共通しているのは、奇妙なことだが（少なくとも私には）、名声——真に世界規模の名声は、彼らにとって最終的に重荷であり、安らぎではなかったというコンセプトだ。だがこんな考えかたにとまどう人は多いだろう。音楽産業には、トップでのびのびやっている人が大勢いるし——かく申す私もそのひとり——有名になれば楽しいことが待っているはずだと信じる人は世界じゅう無数にいる。理由は明白だ。力、敬意、富——こういったものを人生のマイナス要素だと考えるなんて、なんともバカげている。私のような人間にとって、本書リストの多くの人々が経験した内なる闘いを理解するのは難しい。また、だからこそ、一般大衆にとってこういった物語が魅力的に見えてしまうのだろう。ほとんどの人が人生最高の成果だと考えるものを手にしたというのに、その先に闇が待っているなんて、直感的には想像しにくいことだ。しかし、まぶしい光は影を作りだす。ごく一部ではあっても、そんな影の部分に落ちていく人がいる。依存症、鬱、もしくはそれらに関係した悩み。原因はさまざまだ。

だが結局のところ、そうなってしまう原因は存在する。27クラブの存在全般に関する科学的原因が。

それを明らかにする作業を、我が息子が、知人であり神経科学者のジェイムズ・ファロン博士におこなったインタビューにゆだねようと思う。ファロン博士はカリフォルニア大で精神医学と人間行動学の教授、解剖学と神経生物学の名誉教授をつとめている。また、『サイコパス・インサイド―ある神経科学者の脳の謎への旅』という著書もある。自らの家族の神経学的遺伝を見つめなおした本だ。

ニック・シモンズ（以下NS）　インタビューに応じてくださってありがとうございます。最初に伺いたいんですが、27クラブという考えかたについてご存じのことを教えてください。科

学的に見ればどんなことが言えるんでしょう。

ジェイムズ・ファロン（以下JF） 最初に言いたいのは、年齢というレンズを通して自殺だとかオーヴァードーズを見てみると、いくつかのことがわかってくるということです。まず理解しておかなければならないのは、脳の発達の仕組みでしょう。脳というのは、二十五、六歳くらいにならないと、いわゆる成熟した状態にはなりません。これを知っておくのは大切です。たとえば統合失調症だと、症状が表れるのはたいていの場合、十八歳から二十二歳のあいだなんですよ。統合失調によって壊れる脳の部分が、そのころになるまで成熟しないからなんです。神経というマシーンの組み立てが終わらないうちは、マシーンを壊そうにも壊しようがない、という感じでしょうか。つまり、ある年齢に達して脳が発達すると、それに伴って症状が表れてくるわけです。症状は、鬱かもしれないし、不安かもしれないし、統合失調症かもしれませんがね。だから、統合失調症や鬱の発症マップでは、二十代なかばから二十代終わりの可能性が高いんですよ。「軸索の髄鞘（ずいしょう）形成」と呼ばれてますが、神経伝達物質に影響をあたえるつながりかたや状態が成熟するのがそのころなんです。二十五、六歳ですね。

私は自分の人生に対してもこのデータを使ってみました。加えて、私は「戦争と認識力」というテーマでペンタゴンのアドバイザーもやってるんですが、この議論を使って、二十五歳になるまでは誰も戦争に行くべきではないと提案しました。これくらいの年齢になるまでは、遺伝的要素にもよりますが、ストレス要因に大きく左右されることがあるのでね。戦争というコンテクストでは、このデータはPTSDや鬱に関しても大きな意味を持っています。ですから、パズルのピースの最初のひとつは、脳のレベルです――人は特定の年齢において、神経科学的にたいへん脆弱な状態になりやすい、ということ。そのピークのひとつが、二十代なかばなんです。何か問題があると、それが表面化するのがこの年代、ということですね。

NS 先天的なものと後天的なもののカクテルというわけですね。

JF おっしゃるとおりです。皆さん、よくおわかりになってないんですが、世界的な注目とか、一夜にして世界的な人気を得るとかっていうことは、トラウマになる可能性があるんです。神経系統がそういうふうにできている人にとってはね。ある程度の人々、たぶん全体の四分の一くらいは、この手のことに耐えられるような神経系統を持っていないんで、きっとなんらかの形で崩壊してしまうと思いますね。幼少期のストレス要因も、たとえばサイコパス的な遺伝子や脳の科学的状態によっては大きく左右するでしょうし、鬱や過敏症や統合失調感情障害についても同じです。幼少期のストレス要因やトラウマもそうだし、家庭が緊張状態にあったりすることも、人格障害の誘因（トリガー）になり得ます。そういう遺伝的要素を持っている人にとってはね。おまけに生まれつき芸術的才能があったりする人ってのは——遺伝子の影響で、鬱やアルコール依存や薬物濫用といった問題のある家庭に生まれた可能性が高い傾向にあるんです。しかし依存症に関して言えば、遺伝が行動的なものになって、二重の意味で次の世代に伝播するケースもあります。そういった緊張した家庭の場合、遺伝と行動的影響の完璧なカクテルが二十代なかばで「表面化する」傾向があるんですね。

これまでに述べたことは一般大衆に関してですが、では、世界規模の名声を得るに至った一握りの人たちについて考えてみましょうか——名声も、もうひとつのストレス要因です。神経科学ってのはいろんなことを説明してくれるんですよ。

ではどうしてアーティストはとくに高い確率を示すのか。「クリエイティヴな人々」はなぜ一般的にそういう傾向を持つのか。研究では、アーティストには双極性障害や鬱、統合失調感情障害の確率が高いことがわかっています。クリエイティヴな人はこの手の検査で高い数値を示す傾向があるわけですね。つまり、この種の職業はもともと苦悩を生み出す傾向を持っているということです。これを理解するために大切なのは、ざっくり言えば、前頭葉は創造力の敵だってのを知ることでしょう。前頭葉には行動を整理する役割があります。多くのアーティストにとってのエージェントとかマネージャーみたいな存在なんですね。エージェントというのは彼らにとって、歩いてしゃべる前頭前皮質のようなものです。前頭葉の機能をすべて果たしてくれるもの――物事を整理して、ビジネスをやってね。ですからアーティストの前頭葉は不安定になっていることが多くて、逆にそのおかげで突飛なことを思いついたり、クリエイティヴになれたり、自分のクリエイティヴな部分にアクセスしたりできるんですよ。このふたつは深くつながっています。前頭葉の問題と創造性とは相関関係にあるんですね。

次のステップは疫学的分析です。27クラブというのは統計上の神話ですよ。二十七歳はグラフのいちばんのピークではありません。実際、ミュージシャンの死亡率が最も高いのは五十代のなかばです。27クラブじゃなくて、55クラブとか56クラブであるべきなんですよ。そのほうが数値が高いんですからね。そのあたりの死亡年齢を調べれば、よく知られた名前がたくさん見つかると思います。

しかし二十代なかばから後半というのは最初のスパイク、大きな上昇値が表れる年代でもあります。小さなころ、つまり幼少期と比べても頻度は高いはずですよ。二十代では絶対比率は低くても、頻度は高い。そしてそこから頭打ちになって、二十代後半から三十代前半にかけては、次のピークまで低いまま。四十五歳から五十五歳で右肩上がりになりますが、このときのピークのほうがずっと数値は高いんですね。そしてもちろん、そこからまた下がっていく。全体的な死亡年齢に関して二十七歳がほかの年齢より大きな意味を持っているなんて、そんな考えに疫学的裏づけはありません。とはいえ、二十代の後半で変化の割合がはじめて上昇するという見かたはできますから、そこに特別な数字があると感じてしまうのかもしれませんね。

NS ではファンはどうでしょう。人はこういう考えに対していろんな感情を持っています。ロマン化する人もいれば、ネガティヴに反応する人もいる。どうしてなんでしょうか。どうして人は魅了されるんでしょう。

JF そういうことが起きたとき最も詳しく知りたがり、とくに大きな反応を示すのは、おそらく十五歳から二十五歳くらいの人たちでしょう。こういった若い人は、亡くなった有名人と同じようにとても感受性が強い。ヒーローと同じ問題を抱えているんです。環境的ストレス要因に根ざした問題は、多くの若い人たちの脳内に存在する化学反応を促進します。そのせいで、ファンにとって死がとても切実なものになってしまうんですね。会話にのぼるようなアーティストというのはたいてい、悲劇的で強烈な死を遂げたその時代の人気スターです。こういったアーティストのファン層は、とても感受性の強い人々でできあがってるんですね。二十五歳以下で、不安定な傾向がある人たちです。つまり、成長過程における神経科学的段階のひとつ（ファン）が、それ自身の極端なヴァージョン（アーティスト）に反応するわけですよ。

そういったことが、二十七歳という年齢がとくに大きな意味を持つという錯覚を作りだしてるんです。朝起きて肘をひどくぶつけてしまったら、その日は一日じゅう肘のその部分をくりかえしぶつけているような気がする。ファンに言わせればそんな感じでしょうか。もちろん普通だったら、その日一日肘をさわっていても、とくに痛みは感じないはずです。ですが、その部分がとくに敏感になっている場合は、痛みを感じてしまう。ファンのなかには、特定の状態に関して精神的に過敏になっている人がいるんです。

そして当然、明白なこともあります。スターが実在の人間より大きな存在で、神話的にさえ感じられるような時代があった、ということですね。ヘンドリックスやジョプリンといった人たちってのは、ほんとうに飛び抜けていた。あんな人たちは、それまでいませんでした。ストーンズやビートルズもそうですね。

このトピックについてシカゴ・アイデアズ（訳注：さまざまな人を呼んで講演会を多数おこなっているアメリカの団体）で話をしたんです。精神障害、とりわけ鬱や双極性障害と、アートや創造性との関連性についてね。神経医学的に見て、何が創造性と関連しているのか。こういった神経医学的な関連性を持つ人々、とくに多くのアーティストはどうしてリスクにさらされているのか、といった問題です。

NS では、アーティストであれファンであれ、リスクのある人々にどんなアドバイスをしますか？　精神的な問題や行動的な問題にはどうやって対処すればいいんでしょう。

JF 生物精神医学や生物心理学を深く知れば知るほど、役に立つと思いますね。遺伝的なものがかかわっていること、そして、トラウマ的誘因（トリガー）がかかわっていることを知るのが手はじめでしょう。全体の仕組みを理解するだけで、大きな助けになります。

過去にトラウマを受けた経験のある人は、のちに苦しむリスクを持っています——自殺願望とか、鬱とか、依存症とかね。みんながみんなではありませんよ。人をリスクにさらす要因はさまざまです。しかし、遺伝がどれだけ大きな役割を果たそうが、いつだってトリガーってものがあるんです。そして、トリガーは二十代なかばで発生することが多いんですね。
しかしトリガーが出現しなかったとしても、こういった問題の多くはいつか表面化します。以前、統合失調は環境的な要因だけで発症すると考えられていましたが、それはまちがいです。実際は遺伝的な要素が大きい。ただ、鬱とか統合失調といった心の病を最初に発症させるトリガーは、環境によるものであることが多いということです。たとえば十九とか二十で、大学に行って、そこを休学したりして、何かが起きるのはそういう場合が多いんですね。それまでに経験したことのない、若きオトナとしての問題にはじめてぶつかったときです。そのあとに、ガールフレンドからフラれる、みたいなことが続くとかね。悲しい別れかたをする、とか。トリガーってのは、なんの変哲もない日常茶飯事だったりするんですよ。ただし、必ず発達するってわけじゃありません。条件は、それ相応の遺伝子を持っていて、心身にストレスがかかったりすること。そうなると、あらかじめ脳に存在していた症状が表面化するんです。

NS 多くの人たちにあてはまる話だと思います。この本のリストに出てくる人たちを苦しめていたのは、両親の離婚とか、高校でのイジメとか、どちらかと言えばよくある人生のトラブルだったりしたわけですからね。でもそういうトラブルが深刻化して、重度の依存症や鬱になってしまった。薬物を使う以前から、彼らの多くは、他の人だったら受け流してしまうようなことに対してものすごく繊細だったんですね。

JF そのとおりです。お子さんのいる方だったらご存じだと思いますが、ふたり子供がいたとして、そのうちのひとりは階段から落ちても、笑って上がってきたりするでしょう？でももうひとりは癇癪を起こして大泣きしてしまう。だから具体的にどんな刺激を受けたかということより、異なった脳に対して刺激がどんな影響をあたえたか、なんです。両親の離婚にしてみても、少しも気にしない子供はいます。なんとなく不便になったな、っていうだけで、トラウマは残らない。でも繊細な子供にとっては、離婚のようなよくある話が大きなトラウマになることがあるんですよ。とくにもともと鬱的な傾向を持っている子供ならね。正しいとかまちがってるってことじゃありません――昔の世代の人たちは、ヘンドリックスの父親がそうだったように、こういう繊細さを否定するようなところがありました。でもそれじゃあ、誰の助けにもならない。過敏であることはいいとか悪いじゃないんです。脳の化学反応が異なっているだけなんですよ。そこに、子供のころの親の愛情という問題が加わる。共生関係的なニーズがどれだけ満たされていたかという問題です。こういうことは個人個人でまったく違います。アーティストっていうのは本来、極端なくらい繊細ですよね。だから人にはない能力を持っているわけだし、同時に、それが彼らの弱点にもなってしまうんです。

ですから私のアドバイスは、もしあなたが十代だったとして、繊細だという自覚があって、精神崩壊（メルトダウン）を体験したことがあったり、幼いころ問題があったり、ある種のトラウマがあったりするなら、心理学者としっかり話をして専門的なアドバイスをもらってほしい、ということですね。

今では検査をおこなって、その人が鬱や統合失調症になりやすい遺伝子を持っているかどうか明らかにすることができます。依存症になりやすいかどうかもわかります。そういう形で脳をのぞきこむことができるようになったわけですね。精神科医は脳機能イメージングや心理測定を併用しながらＤＮＡテストをおこなって、どういう精神科の薬を投与すればいいのか、もしくはまったく薬を用いない治療がいいのかを決めています。くわえて我々は四千万ドルかけて十代後半から二十代前半の青少年に関する研究もおこないましたし、脳のスキャンをして喫煙依存症になる人とならない人を知ることもできました。脳スキャンを使った所見はかなりの確率で正確です。

それでも依存症については、いまだにとんでもなく大きな誤解があります——高い確率で依存症になる潜在性は、鬱と同じように、持って生まれたものなんですよ。生まれつきのものなんです。その人がアートにかかわっていようがいまいが、私のいちばんのアドバイスは、まず自分を知りなさい、ということですね。両親を見ただけではわかりません。まったく普通の両親が、実はふたりとも鬱や依存症傾向のある遺伝子を持っていて、それを受け継ぐ場合もありますから。鬱や依存症になりやすい遺伝子形式をね。両親は、そんなふうに見えないかもしれない。でも、キャリアであるかもしれないんです。

それから覚えておいてほしいのは、自分もそういう人間であることがわかったとしても、それはいいことでも悪いことでもない、ということです。あなたを過敏にしているものが、クリエイティヴにしてくれる可能性だってあるわけですからね。

NS それはすばらしい考えですね。ぼくとしては、人々が犯してるまちがいは、苦悩がアートを生み出すと考えてることだと思うんです。でもほんとうのところ、アートも苦悩も等しく、第三者的な原因から生まれているんじゃないでしょうか。脳の構造という第三者から。

JF まったくです。「共通原因」の力学ですね。私の仕事になじみのある方だったらご存じだと思うんですが、私も問題を抱えていて、それについて本も書きました。私としてはそういう知識が得られたことに深い喜びを感じてますよ。自分の反応をコントロールできるようになりましたのでね。何に気をつけていればいいのか、わかるようになりました。この脳のなかにアンバランスな部分があることはわかっていますし、それを他人に説明することで、自分が何に対して過敏になっているのかもわかったんです。こういうことをやっておけば、パンチをかわせるようになります。必ずしもそれで人生がバラ色になるわけじゃありませんが――そんな魔法のクスリなんてありませんから――なんとか対応しながら生きていくことができる。自分がバラバラにならずに済むんです。

NF　創造性を失わずに対処していくことができるんですね。

JF　そのとおり。まずは、ある程度の知識を得ることです。基本的な科学知識をね。こういった人たち……とくにモリソン、バスキア、コベインなんかは、たいへんかしこい人たちでした。ほんとうにアタマがよくて、本も読んでいました。科学方面に明るい人間ってのは、何が人生に影響をあたえているのか、その力学についてシロウトの人たちに充分な情報をあたえるためにいるんですよ。感受性遺伝子検査は高額ですが、自分についいて知るための手立てならほかにもたくさんありますからね。自分の脳や人間の行動について心を開きながら、意識して、真剣に学んでいくことが大切なんです。

ドラッグを例にとってみましょう。この社会のなかには、さんざんドラッグをやっても遺伝のせいで依存症になりにくい人たちが、かなりの数いることがわかっています。反薬物ロビイストは、ドラッグ推奨につながることを恐れて、認めたがりませんがね。でも子供たちが依存症にならない人々に出会ってはじめてそれを知ったとしたら、薬物に反対すること自体が欺瞞だと思ってしまうじゃないですか。だから、包み隠さずみんなを教育するほうがいいんですよ。依存症ってのは、副腎皮質刺激ホルモンというものと深く関係してます。依存症にならない人もたくさんいる。でも逆に、ちょっとやっただけで依存してしまう人もいるわけです。自分の脳を知ることは、神経科学的に自分を知ることなんですよ。科学や心理学を充分学んで、家族と自分を知ることは、人に力をあたえます。「フリー・ラヴ」と「ジャスト・セイ・ノー」の中間地点、って感じでしょうかね――ある特定の道をたどったとしても、前もって自分の脳のことを学習していれば、何から身を守ればいいのかがわかるわけです。

この本が、人々にとって前向きな行動をとるきっかけになることを願っています。自分を知り、自分の脳について学ぶことは、そんな行動のひとつですよ。でも、責任ていうのは個人個人が負うべきものです。ひとりひとりがユニークな存在なんだし、何がユニークなのかを発見することは楽しくて、精神を浄化する作用のあるものですからね。

ジェイムズ・ファロン博士はカリフォルニア大学アーヴァイン校の解剖学・神経生物学教授。スローン・スカラーシップ、シニア・フルブライト・フェローシップ、アメリカ国立衛生研究所キャリア・アウォードなど、これまで多くの賞を受け、ペンタゴンの統合司令部では「認識力と戦争」の分野で内容領域専門家もつとめている。

FINAL THOUGHTS

AVICII, AND THE FUTURE

最後に一考

アヴィーチー、そして未来

こういう物語をとりあげ、アーティストの歴史や子供時代や彼らが置かれた環境を知り、行動学や神経学という基本的な科学を学んだことは、昔なら想像できなかったくらいこの目を開かせてくれた。

その証拠に私は以前より、人々、とくに依存症に苦しむ人々に対して親しみを感じるようになった。人間としての親しみだ。どんな誤解であれ、それを正してくれるのはさらなる理解だろう。意見の食い違いをおさめてくれるのはさらなるデータ——さらなる事実だ。私はこの本のインフォメーションとインスピレーションの源となった会話をかわし、こういった人々の人生の物語を知った。そしてそうするうちに、数々の論争がおこなわれてきたひとつのトピックに関して、意見を変えた。

人間とはぐちゃぐちゃでユニークな存在だ。似たような行動パターンをとる人がいたとしても、それぞれユニークな経験をへて、たどりつくべきところにたどりつく。私たちはそうやって形作られる。他人を上から下まで完璧に理解するなんて不可能かもしれないが、もっと学ぼう、もっと知ろうとすることにはいつだって意味がある。相手が誤解されていたり、意見を異にしていたり、自分にはまったく考えられない選択をして生きている人だったりしたら、なおさらだ。

とくに啓発的だと思う考えかたがある。多くの人の信じるところとは違って、苦しみはすばらしいアートを創造するための必要条件などではない、という考えだ。『クリエイティヴィティ・アンド・ザ・パフォーミング・アーティスト：ビハインド・ザ・マスク』という本から引用してみよう。

　パフォーミング・アートというジャンルのなかには、アルコールやドラッグの害にさらされている若いパフォーマーがいる。アルコールやドラッグを使えば創造性が高められ、成功が約束されるという通念がはびこっているからだ。多くのポップ・アイコンやジャズ・ミュージシャンが、このありがちな誤謬を信じている。悲しいことにこういった行動をとると、寿命がかなり縮まるという結果をもたらしかねない。ジム・モリソン、ジャニス・ジョプリン、ジミ・ヘンドリックスといったパフォーマーも、依存症が悪化するにつれ、創作のモチベーションは低下していった。[*1]

　この文化的固定観念は若い人々のあいだでいまだに広がりつづけている。インスピレーションを得るためにはある種の精神的苦しみを経験しなければならず、天才なら誰しも悲劇的な生を生きなければならない——神経科学的に言えば、そんなのは誤謬だ。精神的な苦しみと創造性は、たがいを誘発するのではない——誘因となるのはしばしば第三者的要素であり、そのせいで苦しみと創造性は同時に発生したりする。相互関係は因果関係とイコールではない。ふとしたときに誘因となる第三者的要素とは、シロウトっぽく言えば、あなた自身だ――つまり、脳の構造、遺伝、そして遺伝を表面化させる環境的トリガー。

アートと痛みは、単に同じ木から伸びた枝だ。そしてその木の幹とは、個人個人の心。だからトンネルの終わりに見えてくる光や、多くの知恵の源は、たぶん子供のころパパから聞いたあの古い格言――汝を知れ、ではないだろうか。

このゲームでは、学ぶのに遅すぎることはない。こういった問題は単なる過去の遺物でもなければ、あるひとつの時代の特産品でもなく、音楽の一ジャンルに限定されるものでもない。この本を書いているあいだも、音楽のトップ・アーティストがまたひとり、死亡年齢グラフのまさに最初のピークあたりで亡くなってしまった。スウェーデンのエレクトロニック・ミュージック・プロデューサーのアヴィーチー。享年二十八。この文章をしたためている時点では、家族の証言から、自殺による死だったのではないかと考えられている。

アヴィーチーは才能あるDJだった。ジャンルをまたぐ作曲スタイルでEDM（エレクトロニック・ダンス・ミュージック）シーンを変えた男だ。二〇一一年、『レヴェルズ』がスマッシュ・ヒットとなると、『ウェイク・ミー・アップ』『ヘイ、ブラザー』がそれに続き、ツアー・スケジュールも驚くほど過密になった。だが天文学的セールスを記録し、サウンドが次第にポップ／フォーク調になっていくと、聴衆は彼が「魂を売りわたした」のではないかと言いはじめた。二〇一四年の『ローリング・ストーン』のインタビューで「魂を売りわたすような方向に進んでいると感じたことはありますか」と尋ねられたとき、アヴィーチーはこう答えている。「いや。どんどんカネを儲けてどんどん有名になるなんて、ぼくのゴールだったことはないからね。それはどっちかって言えば、ぼくのマネージャーが考える大成功のカタチだ。大事なのはいつだって、未来を築いていくことなんだよ[2]」。

思うにこの若者は、精神面で深刻な問題が顔をのぞかせようとしていることに気づき、それを避けるために足を踏みだそうとしたのではないか。（家族によれば）「意味、人生、幸福」といった実存的悩みを抱えていたという。二〇一七年のドキュメンタリー『アヴィーチー：トゥルー・ストーリーズ』での彼は、社会的不安や鬱と闘っている。医者の記録によれば、弱冠二十六歳（人気と需要の頂点）での引退を思い描いていたようだ。大量飲酒と膵炎の合併症で少なくとも二度にわたって入院。退院直後も、見るからにぼうっとし、ほとんど目をあけていられないことさえあったというのに、ライヴを続けた。ドキュメンタリーでは、ファンや近親者からツアーを続けろという大きなプレッシャーがあったことも描かれている。「このままツアー生活をしていれば命を落とすとくりかえし警告されていた[3]」という事実があったにもかかわらず、やめるなというプレッシャーを受けていたわけだ。

アヴィーチーと親密に仕事をしていたゲフィン・レコードの重役ニール・ジェイコブソンはこう述べた。「プロダクションがとんでもなく巨大になって、彼を圧倒するようになったんだよ。（中略）彼にはふたつの面があった。ステージで成功したいという巨大な野心を持っていながら、とても慎ましい普通の男でもあったんだ。そのふたつの板挟みになったんだね。そうして人生が彼を痛めつけはじめたわけさ」[★4]。

アヴィーチーは統計的な離れ小島ではない。ほかのツアー・アクトもそうだが、ＥＤＭ関係のＤＪが高い頻度で精神面の問題を抱えているという情報は次々と表面化している。だが物質的な利益を優先させるせいで、問題はおざなりになったままだ。

学術的研究によれば、アート関係の仕事をしていると、誰であれ精神的ストレスを受ける可能性があることがわかった。不法占拠した建物で底辺の暮らしをしていようが、ラスベガスのペントハウスに住んで金額六桁の小切手をかき集めていようが、それは変わらない。（中略）イギリスのチャリティ団体『ヘルプ・ミュージシャンズ』の調査によれば、ミュージシャンの六十パーセントが鬱を経験しているという。（中略）睡眠遮断、家族や友人の支援がない状態で長期間ひとり路上生活をする孤独、仕事仲間の競争心や批判、インターネットの罵詈雑言、超特大のハイと壊滅的なロウをもたらす仕事。そういったことがすべてあいまって、大成功したアーティストにとっても、人生はみじめなものになりうる。

ヴィジャヤ・マニカヴァサガールは、精神的な病を調査研究する目的で作られた非営利団体『ブラック・ドッグ・インスティテュート』の心理学部門でディレクターを務めている。彼は『サンプ』に、過酷なツアーは人をメンタルヘルス面で大きなリスクにさらすと語ってくれた。その理由は、睡眠不足や不健康な生活のせいで「気分や感情を平らかに保つ」のが難しくなることだけではない。乱痴気騒ぎが根本的な問題を覆い隠してしまうことも理由のひとつだ。

「落ちこんでしまったり不安になったりすると、彼らは『どんちゃん騒ぎしちまって二日酔いなんだから、しかたないよな』などと言ってごまかしたりするんです。おかげで、根本的なところに問題があるんだってことが見過ごされてしまうんですね[5]」とマニカヴァサガールは言う。

同様に、パーティーをやって絶えず盛り上がったり盛り下がったりしていると、双極性障害による気分の乱高下に気づかない場合もある。それだけでなく、不安や鬱を抱えている人は、他人とのつながりを確認したくて、さらにひどい乱痴気騒ぎをする傾向があるようだ。

「彼らは過去に気分を上げようとしたときのことを思い出しながら、試してみてうまくいった例をまたやってみようとするんです」とマニカヴァサガール。「でもあまりいい考えだとは思えません。気分の低下や不安といった問題を隠したり、何かで置き換えようとしているわけですからね。実際に必要なのは、専門家の手助けなんですよ」[*6]。

ではもう一度言おう。アーティストたちにとって、つきまとう問題から身を守るための最高の予防法とは、自分自身を知ることだ。自分について学び、心の内でも外でも、自分を危険にさらすものへのガードをあげておくこと。そして問題が見つかったら、恥じることもためらうこともなく、専門家の助けを求めること。また、以前の私のように精神健康上の問題の埒外にいて、理解するのが難しかったり真剣になれなかったりするムキには、こう申し述べておこう。知識は力であり、教育は鍵だ。読め。聞け。そうすれば、以前ならできるとは思わなかったカタチで、考えかたを改められる（私もそうだった）。新しいデータをもとに考えを改められるというのは、現実とのしっかりした接点を持っている証でもある。考えを改められるのはいいことだ。そう思う。確かな証拠がそろっているんだったら当然だろう。

くわえて、アーティスト諸君にはこう言っておきたい。自分を大切にしろ。そうすれば、ロックンロールであれ、ブルースであれ、ジャズであれ、絵画であれ、作品を作りつづけられる。きみにしか作れないものを作りつづけられるのだから。

*1 『クリエイティヴィティ・アンド・パフォーミング・アーティスト：ビハインド・ザ・マスク』ポーラ・トンプソン&ヴィクトリア・S・ジャック（アカデミック・プレス アメリカ 2017）

*2 「アヴィーチー・オン・セリング・アウト・アンド・ヒズ・$1500 レーザー・ポインター」ギャヴィン・エドワーズ RollingStone.com 02/02/2014

*3 「DJ・アンド・プロデューサー・アヴィーチー・ウォーンド、『アイム・ゴーイング・トゥ・ダイ』・イン・ア・ドキュメンタリー・リリースト・6マンスス・ビフォー・ヒー・ウォズ・ファウンド・デッド・アット・28」アリソン・ミリングトン BusinessInsider.com 04/25/2018

*4 「インサイド・アヴィーチーズ・ファイナル・デイズ」デイヴィッド・ブラウン RollingStone.com 04/27/2018

*5 「ディプレッション、アイソレーション・アンド・ドラッグ・アディクション：ホエン・DJイング・ビカムズ・ア・メンタル・ヘルス・イシュー」ニック・ジャーヴィス THUMP/Vice.com 07/05/2016

*6 同右

謝辞

まず最初に、自殺やドラッグ・オーヴァードーズ、精神疾患、そしてとくに本書でとりあげたような犠牲者たちの友人や家族に感謝を述べたい。こういった問題に対してなかなか理解を示せずにいた私だが、今は変わりつつある。外側の人間に問題を説明しようとする声は、ようやく最近になってそのヴォリュームをあげつつあり、おかげで私のような人間の耳にも届くようになった。私たちのような者を辛抱強く待ってくれていたことに感謝したい。

そして我慢強かったパワーハウス・ブックスの愛すべき人たち。あなたがたは、暗鬱だが魅惑的なトピックへの探究を許してくれた。

パワフルなロビー・クリーガー。あなたは伝説と呼ばれるべき、祝福された（私に言わせれば今でも祝福され足りない）ソングライターだ。この手の話題にはもうすっかりうんざりしているだろうに、話をしてくれて感謝している。

我が息子の友人フィル・〝スパイキー〟・マイネール。彼は、知り合いだったエイミー・ワインハウスの私生活について直に証言をしてくれた。こういったプロジェクトにおいて、一次的情報は何より貴重だ。繊細なテーマをあつかっているのだし、愛する者を失った傷は長いあいだふさがらないのだから、直接的な情報を得るのは簡単ではない。

すばらしい人間であり頭脳明晰なジェイムズ・ファロン博士にも謝意を表したい。こういった問題の向こう側にある複雑な科学を巧みに抽出しながら、最終的には私たちシロウトにもわかりやすく説明してくれた。

そして我が息子、ニック。本書の編集を助けてくれたこと、そして、私が闘わなければならなかったとき、闘ってくれたことに感謝している。

星海社新書
180

才能のあるヤツはなぜ27歳で死んでしまうのか？

二〇二一年五月二五日 第一刷発行

著者 Gene Simmons（ジーン・シモンズ）

©Gene Simmons 2021

翻訳 森田義信
発行者 太田克史
編集担当 築地教介

発行所 株式会社星海社
〒一一二-〇〇一三
東京都文京区音羽一-一七-一四 音羽YKビル四階
電話 〇三-六九〇二-一七三〇
FAX 〇三-六九〇二-一七三一
https://www.seikaisha.co.jp/

発売元 株式会社講談社
〒一一二-八〇〇一
東京都文京区音羽二-一二-二一
（販売）〇三-五三九五-五八一七
（業務）〇三-五三九五-三六一五

印刷所 凸版印刷株式会社
製本所 株式会社国宝社

アートディレクター 吉岡秀典（セプテンバーカウボーイ）
デザイナー 鯉沼恵一（ピュープ）
フォントディレクター 紺野慎一
校閲 鷗来堂

●落丁本・乱丁本は購入書店名を明記のうえ、講談社業務あてにお送り下さい。送料負担にてお取り替え致します。なお、この本についてのお問い合わせは、星海社あてにお願い致します。●本書のコピー、スキャン、デジタル化等の無断複製は著作権法上での例外を除き禁じられています。●本書を代行業者等の第三者に依頼してスキャンやデジタル化することはたとえ個人や家庭内の利用でも著作権法違反です。●定価はカバーに表示してあります。

ISBN978-4-06-523510-2
Printed in Japan

Japanese translation rights arranged with
POWERHOUSE BOOKS
Through Japan UNI Agency, Inc., Tokyo

180
SEIKAISHA SHINSHO

次世代による次世代のための

武器としての教養
星海社新書

星海社新書は、困難な時代にあっても前向きに自分の人生を切り開いていこうとする次世代の人間に向けて、ここに創刊いたします。本の力を思いきり信じて、**みなさんと一緒に新しい時代の新しい価値観を創っていきたい。若い力で、世界を変えていきたいのです。**

本には、その力があります。読者であるあなたが、そこから何かを読み取り、それを自らの血肉にすることができれば、一冊の本の存在によって、あなたの人生は一瞬にして変わってしまうでしょう。**思考が変われば行動が変わり、行動が変われば生き方が変わります。**著者をはじめ、本作りに関わる多くの人の想いがそのまま形となった、文化的遺伝子としての本には、大げさではなく、それだけの力が宿っていると思うのです。

沈下していく地盤の上で、他のみんなと一緒に身動きが取れないまま、大きな穴へと落ちていくのか？　それとも、重力に逆らって立ち上がり、前を向いて最前線で戦っていくことを選ぶのか？

星海社新書の目的は、**戦うことを選んだ次世代の仲間たちに「武器としての教養」をくばることです。**知的好奇心を満たすだけでなく、自らの力で未来を切り開いていくための〝武器〟としても使える知のかたちを、シリーズとしてまとめていきたいと思います。

2011年9月

星海社新書初代編集長　柿内芳文